PIERRE-YVES V

GAMER

2 DANS L'ARÈNE

les malins
éditions

Québec

Crédit d'impôt livres

Gestion SODEC

Gouvernement du Québec – Programme de crédit d'impôt
pour l'édition de livres – Gestion Sodec

Nous reconnaissons l'aide financière du gouvernement du Canada
par l'entremise du Fonds du livre du Canada pour nos activités
d'édition.

Gamer, 2. Dans l'arène
© Les éditions les Malins inc., Pierre-Yves Villeneuve
info@lesmalins.ca

Éditeur : Marc-André Audet
Éditrice au contenu : Katherine Mossalim
Correcteurs : Jean Boilard, Fleur Neesham et Dörte Ufkes
Direction artistique : Shirley de Susini
Conception de la couverture : Shirley de Susini et Nicolas Raymond
Mise en page : Nicolas Raymond

Dépôt légal – Bibliothèque et Archives nationales du Québec, 2016
Dépôt légal – Bibliothèque et Archives Canada, 2016

ISBN : 978-2-89657-380-6

Imprimé au Canada

Les éditions les Malins inc.
Montréal, QC

À Anaïs et Mathilde.
Mes accomplissements les plus remarquables
réalisés sans manette, sans manuel d'instruction
et sans code secret.

« Ne fais jamais confiance à personne
et fie-toi à ton instinct. »

- Hitman

Table des matières

Prologue

La zone devant nous est inhabitée. La ville a été abandonnée, transformée en une zone de guerre perpétuelle. Il n'y a plus que quelques immeubles qui tiennent encore debout, malgré les nombreux affrontements.

Stargrrrl reçoit un ordre dans son oreillette. Aussitôt, elle court vers ce qui devait être une maison et plonge derrière un mur de briques. Ou plutôt, un bout de mur de briques. La partie supérieure a volé en éclats, détruite par une explosion. Avant même qu'elle puisse prendre position pour les couvrir, ses trois compagnons la rejoignent et se plaquent eux aussi contre le mur. Une chance, personne ne les a vus.

Je jette un coup d'œil sur la carte. Nous avons presque traversé la moitié de la ville. Et nos ennemis sont toujours hors de vue.

Chacun de nous est armé jusqu'aux dents. Couteaux, revolvers, fusils semi-automatiques, C4 et plusieurs boîtes de munitions. Un peu plus tôt, Elliot a jubilé en trouvant une caisse de grenades. Personnellement, j'aurais préféré mettre la main sur un lance-roquettes, mais je ne cracherai pas sur ce que la Providence met sur notre chemin.

À couvert, Stargrrrl empoigne son M82. Difficilement manœuvrable quand on se déplace, ce fusil de *sniper* est doté d'une lunette d'approche particulièrement puissante. Avec lui, j'arrive à atteindre une cible située à près d'un kilomètre. C'est loin, mais c'est faisable.

Elliot nous demande de jeter un coup d'œil pour nous assurer que la voie est libre. ShanYiLi, l'avatar de Charlotte, s'agenouille avant de s'exposer une fraction de seconde puis de revenir à l'abri derrière le mur.

– La voie est libre, chuchote-t-elle, tandis que j'utilise la lunette télescopique de mon fusil pour regarder par une brèche.

Rien. Aucun mouvement. Les bâtiments sont déserts. Devant certains d'entre eux, il y a des caisses pleines d'armes. J'en déduis que nous sommes les premiers à emprunter ce chemin.

– Ha ! Excellent, dit Elliot. Tout roule dans l'huile.

– Hein ? fait Margot.

– Ben, tu sais ce que je veux dire. Laisse faire. OK. Vous voyez le hangar, là-bas ? C'est là qu'on va traverser, il y a un passage au fond. Il n'y a jamais personne qui l'emprunte. Tenez-vous prêtes. Charlotte et moi, on ouvre la marche. Margot, Laurianne, vous nous couvrez. Trois… deux… un… On bouge !

Sans attendre sa coéquipière, Mhoryn, alias Elliot, se lance au pas de course, comme chaque fois. ShanYiLi, qui a confirmé que la voie était libre, le suit de près. Elliot a des comportements pour le moins risqués. Il n'est pas rare qu'il coure vers l'ennemi sur un champ de bataille en croyant pouvoir se faufiler entre les balles. C'est ridicule. Lui, il appelle ça du courage. Moi, de la chance. C'est limite stupide, sa tactique. Statistiquement, son avatar devrait se faire descendre beaucoup plus souvent que ça.

À l'intérieur du hangar désaffecté, il fait sombre. L'entrepôt est encombré de carcasses calcinées de voitures et de camions de transport. Par précaution, nous examinons sommairement chacune d'elles. Nous ne trouvons rien, sinon un pigeon qui a fait son nid dans le coffre d'une des voitures. Le hangar doit bien mesurer une centaine de mètres. Elliot nous guide. Tout au fond, il y a un camion qui a un peu mieux survécu que les autres à l'incendie.

– C'est par en dessous, précise-t-il.

Il a raison. Il y a vraiment un passage dans le mur. En m'accroupissant pour regarder sous le camion, j'arrive à voir de la lumière qui filtre par une brèche. Celle-ci est assez grande pour nous laisser traverser.

– Vous allez voir, les filles. Ça va être du gâteau ! Il nous reste une vieille cabane à contourner, et ensuite, on retourne vers la grande place. C'est là qu'ils nous attendent, j'en suis certain. Tellement classique comme embuscade. On va les prendre par surprise. Ça va être un record de vitesse pour la mission.

D'un signe de la main, il nous invite à le suivre. Je sens mon pouls accélérer. Nous rampons sous la charpente du véhicule et franchissons la brèche dans le mur pour nous extirper du hangar, d'abord Mhoryn, puis ShanYiLi, suivie de Togram (officiellement, c'est Baronne_Togram). Stargrrrl ferme la marche.

Dès que mon avatar se relève à l'extérieur, nos écrans virent au rouge. L'enfer se déchaîne sur nous.

– On bouge ! On bouge ! On bouge ! se met à crier Elliot dans son micro.

Nos quatre avatars se mettent en mouvement pour éviter les balles. Nous nous séparons selon le plan prévu, ShanYiLi et Stargrrrl se dirigeant automatiquement sur la gauche. Nous devons nous mettre à couvert, sinon c'est la fin.

Du coin de l'œil, je vois un flash. Je crie :

– ROQUETTE !!!

Nous changeons de direction juste à temps. L'explosion interrompt notre course et nous projette toutes les deux une dizaine de mètres vers l'arrière. Des morceaux de terre pleuvent du ciel. Le bruit de la déflagration a été si fort dans mon casque d'écoute que j'en ai les oreilles qui sifflent.

Alors que la fumée se disperse et que la poussière retombe au sol, je vois Togram et Mhoryn qui courent vers le seul abri devant eux : une petite cabane qui a miraculeusement survécu à la guerre éternelle qui fait rage dans ce monde. Notre plan d'évacuation à l'eau, Charlotte et moi suivons nos camarades.

Nos ennemis se sont bien planqués. Ils sont dans un vieil immeuble à logements à cent cinquante mètres sur nos neuf heures, trois au rez-de-chaussée et un *sniper* sur le toit. C'est ce que j'aurais fait. Non. J'aurais posté un des trois hommes sur notre droite pour prendre l'ennemi dans un feu croisé. Poussés par les tirs qui frappent le sol, nous courons vers la bicoque isolée. Nous sommes à découvert et personne n'est mort. Ce n'est pas normal. Nos adversaires ne sont pas nés de la dernière pluie. Nous devrions subir plus de dommage. J'ai l'impression qu'ils nous guident, qu'ils nous dirigent vers le seul endroit logique où nous pourrons nous protéger de leurs tirs. La première salve, c'était pour nous surprendre, nous affoler. La roquette nous a empêchés de nous disperser. Ils nous veulent ensemble pour nous donner le coup de grâce.

– Repliez-vous, c'est un piège ! que je dis dans mon micro.

– Hein ? fait Elliot sans s'arrêter.

Sur l'écran, je vois l'avatar de Margot qui change de direction, mais Elliot, lui, se retourne vers moi sur son siège.

– C'est moi qui donne les ordres, Laurianne. On continue ! hurle-t-il.

– C'est exactement ce qu'ils veulent. Si on entre dans cette cabane, je te parie tout ce que tu veux que c'est *game over*, *man*.

Elliot hésite, grogne, puis son avatar s'engage à la suite de Togram en zigzaguant pour éviter les balles qui sifflent de chaque côté.

Devant nous, Togram plonge dans un cratère. Elle se retourne aussitôt et fait un tir de couverture pour nous aider à atteindre le trou. La manœuvre est futile. L'un après l'autre, nous plongeons à l'abri. Aussitôt, les mitrailleurs arrêtent de nous canarder.

– OK. Heu… C'est quoi la situation ? demande Elliot.

– Ayoye ! J'ai perdu plus de la moitié de mes points de vie, se plaint Margot.

– Quoi ? Comment ça ?

– Je pense qu'ils se sont mis à deux pour me tirer dessus.

– Bon. Laurianne, Charlotte, quel est votre statut ?

– Quatre-vingts pour cent, que je réponds en premier.

– Moi aussi, ajoute Charlotte.

– Je m'en sors pas si mal non plus, dit-il. OK. Priorité : Margot. Quelqu'un a un *med kit* ?

Personne n'en a. Évidemment.

– Ça va mal… Restez à l'abri. Je vais essayer de voir où ils sont.

La tête de l'avatar d'Elliot a à peine commencé à émerger du cratère qu'une balle siffle et frappe le sol à quelques centimètres devant lui, soulevant une poignée de terre.

– *Sniper…* soupire-t-il en se lovant contre la paroi protégée.

– Il est sûrement sur le toit de l'immeuble, précise Charlotte.

– « Il est sûrement sur le toit de l'immeuble », répète Elliot en bougonnant. C'est sûr, qu'il est sur le toit !

– Eille, du calme, Elliot ! que je lui dis.

– Ça, c'est de ta faute, Laurianne. On ne serait pas pris dans ce trou à rat si on avait continué avec mon plan.

– Ton plan, ton plan ! On t'a toutes dit qu'il était nul, ton plan, intervient Margot.

– Tu ne nous as pas écoutées, tu ne nous écoutes jamais, pis tu fais encore à ta tête, rajoute Charlotte.

– C'était un traquenard ! que je répète. On n'avait aucune chance. Je nous ai gagné un peu de temps.

– Du temps, du temps, on s'entend qu'on va tous crever, si on reste ici ! réplique Elliot.

C'est pas le moment de se chamailler pour des enfantillages. On doit se regrouper, trouver un nouveau plan et contre-attaquer avant que l'ennemi n'en finisse avec nous.

Elliot inspire profondément pour se calmer.

– OK. Laurianne, lève-toi vite et recouche-toi aussitôt.

– Pourquoi moi ?

– Parce que c'est toi qui as le plus de vie !

– Charlotte, évaluation de l'ennemi, ajoute-t-il.

– T'es malade ! Je vais me faire tirer dans la tête.

– Ben non. Laurie va attirer l'œil du *sniper*. Tu ne risques rien.

– Fais-le donc, toi, si t'es si sûr de ton coup, lui lance Charlotte avec un air de défi dans les yeux.

– Parfait ! J'm'en occupe. On n'est jamais si bien servi que par soi-même, grommelle-t-il. OK, à trois. Un... deux... trois !

Mhoryn lève la tête une fraction de seconde après Stargrrrl. Comme prévu, le *sniper* m'a visée, mais a raté la cible. Il n'a pas le temps de recharger pour faire feu sur l'avatar d'Elliot. Elliot prend trois secondes pour observer le terrain et se cache une bonne seconde avant que la balle ne passe là où était sa tête.

– Il faut qu'on dégage. Il y en a deux qui sont sortis de l'immeuble et qui s'en viennent. Si on arrive à se planquer dans la cabane, on aura peut-être une chance, enchaîne-t-il. À mon signal, on balance quelques grenades pour se faire un mur de poussière et on court se réfugier. En fait, ça va nous prendre une diversion. Margot, est-ce que tu te portes volontaire ?

– Ça dépend pour quoi...

– Pour te sacrifier. C'est notre seule chance de réussite.

– Quoi ?! nous exclamons-nous, Charlotte et moi, indignées.

– Tu vas sûrement recevoir la médaille de la bravoure pour cet acte héroïque. Je pense même que tu pourrais avoir une promotion posthume. Genre : lieutenant. Lieutenante ou lieutenant ? *Anyway*, mon éternelle reconnaissance aussi. N'oublie pas mon éternelle reconnaissance.

– Ben là ! fait Margot de sa petite voix.

– Il n'en est pas question. On ne va pas sacrifier Margot parce que tu as pris la mauvaise décision. Assume tes erreurs, Elliot.

– Soyez réalistes, les filles. Elle a peu de chance de s'en sortir. Vous le savez. Elle le sait. Par contre, si elle les attire, nous, on va survivre. Ça nous donne une mince chance de gagner la partie.

– De toute manière, elle est piégée, ta cabane, que j'ajoute.

– T'en sais rien ! C'est notre meilleure option. On y va. C'est un ordr...

À ce moment précis, la cabane en question explose. Une chance que nous nous trouvons dans un cratère, sinon la puissance de la déflagration nous aurait balayés de la carte. Je ne tire aucune satisfaction d'avoir raison ce coup-ci, car si nous avons déjoué les plans de nos adversaires, du moins en partie, nous sommes toujours pris au piège.

– Non, non, non...

Elliot n'en revient pas. Il se tient la tête de ses deux mains et fixe l'écran. Il murmure des mots inaudibles dont j'arrive à deviner la teneur, car c'est ce que je pense aussi.

– On est faits... On est faits... On est faits...

Ouaip. On est triplement faits comme des rats.

Charlotte essaie de le tirer de sa torpeur :

– Ils s'en viennent. Elliot ! Qu'est-ce qu'on fait ?

Elliot cherche ses mots. Toutes ses belles stratégies sont tombées à l'eau.

– Hum... Je...

– Elliot ! Quels sont les ordres ?

Les soldats ennemis tirent sur le cratère pour nous empêcher de fuir. Chaque seconde, ils se rapprochent dangereusement de notre position.

– Elliot !

– C'est quoi les ordres, Elliot ? lui lance Margot en lui secouant l'épaule.

– Qu'est-ce qu'on fait ? Qu'est-ce qu'on fait ?

Chapitre 2-1

– Pis ? Qu'est-ce qu'on fait ? demande à nouveau Charlotte.

– Comme d'habitude, propose Elliot

– On t'humilie à la *Ligue* ? lui lance-t-elle. Pas de trouble !

– Ha ha. Très drôle. Margot ?

– Je m'en viens, répond-elle en rangeant son carnet de dessin dans son sac à dos. Laurianne ? Viens-tu avec nous ?

– Urgh… que je soupire. Dans quinze minutes ? J'ai pas eu le temps de faire toutes mes lectures cette semaine.

– OK, dit-elle. Je te garde une place.

J'ai menti. Un peu. Disons que c'est une demi-vérité… Un quart de vérité serait plus juste. J'ai amplement eu le temps de faire mes devoirs, mais je n'ai pas *pris* le temps. Le résultat est le même : mes devoirs ne sont toujours pas faits.

Disons que ça n'a pas particulièrement été une bonne semaine.

Tout d'abord, il y a mon père qui entretient une relation secrète avec cette Valérie. Dès que je mets le pied chez moi, j'imagine mon père dans les bras de cette pimbêche. Oui, bon. Je sais. Je ne l'ai jamais rencontrée. Elle n'est peut-être pas une pimbêche, mais je suis certaine que c'est une personne désagréable qui envoie des coups de pied aux petits chiens dès qu'on a le dos tourné. Ça n'a pas contribué à rendre l'appartement propice à la concentration.

J'ai fait ce qui s'imposait : je me suis réfugiée dans ma chambre autant que possible en prenant bien soin chaque fois de claquer la porte, pour ensuite me brancher à mon ordi.

Ça fera bientôt une semaine que je fais la gueule à mon père ! Pour être exacte, cent dix-sept heures virgule six, ou sept mille cinquante-six minutes, ou quatre cent vingt-trois mille trois cents combien de secondes... Grrr ! J'en perds mes maths !

Quand j'ai découvert la vérité, nous nous apprêtions à regarder le second film de notre programme double. Il est venu cogner à la porte de ma chambre pour voir si tout allait bien. Je ne lui ai pas répondu. Je me suis contentée de pleurer sur mon lit et de le détester en silence.

Le lendemain soir, il m'a dit (depuis le couloir) que peu importe ce que je vivais, ça allait s'arranger et que, quand je serais prête à en parler, il serait là pour m'écouter si je le voulais.

Papa n'a toujours pas deviné que je sais pour lui et « Val ». Et je ne vais certainement pas lui rendre la tâche facile et lui avouer que je connais son secret. C'est un plan pour qu'il me dise que maman voudrait que bla bla bla ! Non. Je ne me laisserai pas avoir par un autre de ses discours sirupeux tout juste bons à me faire entendre raison.

Le pire dans tout ça, c'est qu'il est beaucoup trop patient et compréhensif avec moi. Il me laisse amplement d'espace, ne me brusque pas. Stupide internet qui a réponse à tout ! Je devrais *hacker* tous les sites parentaux qui donnent des conseils à propos des crises d'ado. Ça ne devrait pas être légal, ces trucs.

Et il me texte des blagues au beau milieu de la journée pour me remonter le moral !

Que font les mathématiciens quand ils vont aux toilettes ?

Ils font π π.

Quelle est la différence entre un crocodile et un alligator ?

Il n'y en a pas. C'est caïman pareil.

Je n'ai pas cédé. Je ne lui ai rien dit. Il doit croire que je me suis chicanée avec un ami, genre avec Sam.

Arg ! Sam… Sam que j'ai embrassé.

– Ça va ?

Guillaume, le proprio de La Grotte, me tire de ma rêverie.

Ça représente plutôt bien ma semaine. J'ai été constamment dans la lune. Toujours à penser à Sam. Toujours à surveiller mon cell pour voir s'il m'a texté, pour vérifier s'il a répondu à mon texto. Une vraie groupie ! Pourtant, c'est juste Sam ! Il y a quelque chose de brisé en moi, j'en suis sûre. Autre preuve, j'ai perdu l'appétit. Ça, c'est une première dans mon cas.

– T'as pas l'air dans ton assiette, me dit Guillaume en m'observant.

Comment... ? Je ne lui ai même pas adressé la parole depuis que je suis arrivée.

– Il y a quelque chose qui te préoccupe ? me relance-t-il.

– Non. Pourquoi ? J'ai l'air d'une fille préoccupée ? que je lui réponds un peu trop brusquement.

D'un mouvement de tête, Guillaume indique la feuille devant moi. Le texte que je devais étudier pour le cours de français, et dont je n'ai pas encore lu un traître mot depuis dix minutes, est illisible. La feuille est bleue, recouverte de l'en-tête au pied de page de chiffres que j'ai tracés, retracés, reretracés, jusqu'à ce que je passe au travers à l'aide de mon coup de crayon. Mes états d'âme, ainsi que le décompte des secondes qui passent, sont maintenant inscrits à l'encre indélébile sur la petite table ronde.

– Urgh ! Désolée...

– Inquiète-toi pas pour ça. Je peux m'asseoir ?

Je fais signe que oui de la tête.

– Problème de gars ? dit-il après un moment.

Non. Oui... Je ne sais plus trop où j'en suis.

C'est bizarre. Dans un monde idéal, c'est à Sam que j'aurais pu me confier. Vu son implication, on oublie ça. Mon père ? Pfff ! J'aurais pu, mais avec le coup chien qu'il m'a fait, c'est hors de question. La chose normale aurait été d'en discuter avec la gang, avec Charlotte et Margot... même Elliot.

Mais ce n'est pas le meilleur moment pour parler de mes problèmes, qui semblent insignifiants comparés à ce que vit Margot. L'effet de nouveauté de la page Facebook s'est atténué après quelques jours, mais les regards moqueurs sont toujours là. Margot a bien plus besoin de notre aide et de notre soutien que j'ai besoin de conseils amoureux parce que j'ai gaffé.

Assis devant moi, Guillaume ne me pose aucune question, il attend que je sois prête, que je me dévoile. Sa présence est étrangement rassurante, réconfortante. La gang et moi, nous passons tous nos temps libres ici, à tel point que nous en sommes venus à voir Guillaume comme un grand frère, mieux : un cousin vraiment *cool*. C'est probablement parce qu'il est le moins impliqué dans mes problèmes que je me sens assez en confiance pour lui raconter ce qui est arrivé la semaine dernière.

Guillaume n'est pas aussi vieux que mon père. Il y a déjà ça de moins *weird*. Et il n'a probablement jamais fait l'erreur d'embrasser sa meilleure amie, lui. Je dois être la seule au monde assez conne pour faire ça.

Au moment où je vais me lancer, une femme entre, un reçu à la main, déclenchant le hurlement fantomatique à l'ouverture de la porte (le carillon ayant été reprogrammé pour la saison par le propriétaire de la boutique). Guillaume, ledit propriétaire geek, reconnaît là le symbole universel du client ayant besoin d'un échange ou souhaitant un remboursement. D'un signe de la main, il me fait signe de patienter et se lève pour aller à sa rencontre.

Je contemple le texte de français qui gît devant moi. Beau barbot.

Plutôt que d'attendre comme une poire à notre table habituelle (et dans l'impossibilité de faire ma lecture pour le cours de français), je décide d'aller fouiner dans les magazines. Même s'il reste une bonne semaine au mois d'octobre, la plupart des numéros de novembre sont déjà sur les tablettes depuis longtemps. Dans le *Time*, il y a un portrait de Patrick Lemieux, que l'on présente comme l'un des créateurs les plus influents de sa génération, ainsi que l'un des plus discrets. L'article ne raconte rien de vraiment nouveau et s'en tient aux banalités d'usage. Du déjà-vu. Je replace le magazine sur la tablette, ignore la copie papier de *PC Gamer*, que j'ai déjà lu sur internet, et choisis plutôt la dernière édition de *Wired*. Je m'attarde à un article qui retrace le parcours de Zoé Ducharme, une jeune designer de jeux vidéo dont la toute nouvelle compagnie cherche à développer la prochaine génération de systèmes de réalité virtuelle.

– Frak ! jure Guillaume en vrai geek, ce qui m'arrache un sourire.

– Pardon ? fait la cliente.

– Désolé. C'est mon système de transaction qui déconne.

– Qu'est-ce que tu utilises ? que je lui demande en m'approchant du comptoir.

– Depuis cet été, j'ai CommercE, un système pour tablette.

– Je le connais. La mère de Sam l'utilise aussi.

– Quand j'ai ouvert le magasin, j'avais une vieille caisse digne du Far West. Un look d'enfer ! On aurait dit la cousine de ma machine à espresso. Mais c'était horrible quand venait le temps de faire l'inventaire. C'est beau, le *vintage*, mais c'est du trouble en masse pour la comptabilité. Là, depuis une semaine… Bon, dit-il en levant les mains dans les airs. Ça a gelé.

Guillaume s'excuse encore une fois à la cliente en lui expliquant qu'il devra faire ça à l'ancienne, en prenant l'empreinte de sa carte de crédit, ce qui ne semble pas déranger la femme outre mesure.

– Tu permets que je jette un coup d'œil ?

– Vas-y fort. Je n'arrive pas à trouver le problème.

Ce qui me surprend, parce que Guillaume est assez fort côté techno, et pas qu'en consoles. Parfois, on discute maths et informatique et codes, et Elliot nous regarde comme si nous parlions klingon (quoique je suspecte ce dernier d'en savoir plus sur le klingon qu'il ne le laisse paraître). Une fois, j'ai jeté un coup d'œil « accidentellement » à l'atelier de Guillaume dans l'arrière-boutique. OK, je voulais voir ce qu'on trouvait derrière la porte battante. C'est malade ! Comparés à son installation, mes deux vulgaires écrans font pic-pic. Je serais aussi bien d'avoir un XT 286 !

Même si Guillaume s'est converti aux tablettes électroniques pour sa facturation, il garde toujours un bon vieux PC sur son comptoir-caisse. En déplaçant la souris et en pesant deux ou trois fois sur la touche ÉCHAPP, je tire l'ordi de sa veille. J'ouvre son fureteur. En quelques clics, je télécharge un programme qui me permet de me connecter à mon ordi à l'appartement. De là, j'accède à un dossier que j'avais créé l'été dernier. Il y a deux fichiers dont j'ai besoin. Je les copie sur l'ordi de Guillaume et coupe la connexion à mon PC.

OK, Laurie. Fais ça dans l'ordre.

- *Je désactive l'antenne Wi-Fi de la tablette de Guillaume;*
- *Je désactive l'antenne Wi-Fi du PC de Guillaume;*
- *J'étire mon bras sous le comptoir et débranche le câble Ethernet de l'ordi de Guillaume;*
- *Je branche la tablette de Guillaume à l'ordi de Guillaume.*

Comme ça, on évite les fuites.

Je double clique sur le premier fichier que j'ai récupéré et qui me génère un numéro à seize chiffres. Puis je crée une fausse transaction.

CommercE est vraiment facile à utiliser. Très instinctif. Pas étonnant que Guillaume se le soit procuré.

J'utilise le numéro de carte de crédit bidon généré par mon programme pour compléter l'« achat ». Le rapport diagnostique me confirme ce que je suspectais :

la tablette est bel et bien infectée. Et par un virus avec lequel j'ai déjà eu maille à partir.

Retour en arrière.

La mère de Sam fait des soirées Tupperware. Les raisons pour lesquelles une femme comme elle sent le besoin de vendre des plats en plastique m'échapperont toujours. Toujours est-il qu'au cours de l'été, plusieurs de ses amies ont rapporté avoir vu leur carte de crédit fraudée. Toutes avaient participé à une soirée, et acheté, de madame Brodeur. C'était là le dénominateur commun.

Quand les adultes ont un problème technologique, la marche à suivre est simple :

Ont-ils un enfant ?

Non - Ils appellent le soutien technique;

Oui - Ils demandent à leur enfant de résoudre le problème pour eux.

Madame B. a demandé à Sam d'investiguer, et Sam, lui, est tout de suite venu me voir.

Ça n'a pas été une tâche facile. J'avoue, j'ai presque eu envie de jeter l'éponge. Mais près de dix jours d'enquête et de recherches plus tard, j'ai enfin trouvé.

La solution se trouvait sur un site privé. Un site pour lequel il m'a fallu prouver que j'étais digne d'être membre. Une chance, j'ai un dossier secret crypté dans lequel je conserve des captures d'écran de mes exploits. Quelques jpeg ont été suffisants pour recevoir une invitation.

Dans un des forums de discussion d'ACCèS ReFuSé, le site en question, quelqu'un ayant pour pseudo Nev3rm0r3 racontait avoir créé un virus informatique... par défi. Simplement pour voir s'il était possible de contourner un système de sécurité, le but présumé de l'exercice étant de démontrer l'existence de failles.

Ceci dit, les compagnies devraient nous remercier quand, bénévolement, on leur montre que leur architecture informatique est pourrie et présente des risques pour leurs clients. Au lieu de cela, elles appellent la police pour qu'on nous arrête ! Je jure qu'un jour je vais me trouver une job dans une boîte de sécurité informatique. Comme ça, je pourrai pirater des serveurs légalement et être payée pour le faire ! Na !

Fin de la parenthèse.

Ce qui devait arriver est naturellement arrivé. Quelqu'un a dérobé le virus à Nev3rm0r3. Pris de regrets lorsqu'un de ses proches a été victime dudit logiciel malveillant, celui-ci a travaillé à développer un antidote. Trop impliqué dans la conception du programme original et craignant qu'on en vienne à le tenir pour seul responsable, même si ce n'est pas lui qui a lancé le virus dans la nature, il a choisi de laisser le logiciel diagnostique ainsi que l'antivirus sur ce site plutôt que de le confier aux autorités.

OK, je n'ai pas encore beaucoup d'expérience dans le domaine, mais il me semble que développer un antivirus et le laisser sur un site obscur et privé, ce n'est pas le meilleur moyen de protéger le public. C'est un peu comme trouver un remède au cancer et l'enfouir au fond de son garde-robe sous une pile de linge sale.

En gros, c'est ce que je raconte à Guillaume quand le rapport diagnostique apparaît sur l'écran du PC. Moins un tout petit détail : mon appartenance à un site de *hackers*. Et l'histoire de Nev3rm0r3. Je ne dis rien à ce sujet non plus. Finalement, je me contente de lui expliquer qu'il a un virus et qu'il existe un antivirus.

– En plus de supprimer le virus, l'antidote nous fournit un fichier crypté avec le numéro des cartes qui ont été compromises. Tu pourras les transmettre à ta banque pour qu'ils avertissent les clients.

– Impressionnant. Je suis impressionné, déclare-t-il. Tu viens de sauver bien du trouble à beaucoup de monde, Laurianne.

Je hausse les épaules, gênée par le compliment.

– Pfff...

Ce n'est pas moi qu'on doit remercier. Après tout, je n'ai pas fait grand-chose. Malgré que Nev3rm0r3 ait codé le logiciel original, c'est aussi lui qui a développé l'antivirus. Mon rôle s'est limité à cliquer sur le bon programme.

– T'es vraiment quelque chose, tu sais ? me dit Guillaume en souriant. Écoute, je dois m'occuper de ça. Faut que j'appelle ma banque. J'ai un ami dans une compagnie de sécurité que je dois avertir. Il va ca-po-ter. J'étais certain que mon *firewall* était impénétrable, dit-il en saisissant son téléphone.

Avant de composer, il me regarde et ajoute :

– Mon offre de tantôt tient toujours.

Ouais… non. La cliente a ruiné notre moment. L'occasion de lui raconter mes problèmes est passée. Là, ce serait juste drôle – pas drôle ha ha, mais drôle bizarre.

– C'était rien, que je lui dis, tout de même reconnaissante. Juste un *blues* du vendredi.

Chapitre 2-2

Ça fait au-dessus d'une heure que je fixe le plafond.

« Dors, dors, dors, dors, dors », que je me répète *ad nauseam* tel un mantra. Mais plus j'insiste, moins il y a de chance pour que ça arrive. Ce qui est une vraie honte, parce que génétiquement, je suis programmée pour dormir mes samedis matins. Quoi d'autre y a-t-il à faire ? Strictement rien ! C'est pas comme si j'allais me lever pour regarder les dessins animés à la télé.

7 h 09.

De la lumière filtre derrière mes rideaux. En rebondissant sur les murs de ma chambre, elle prend de la puissance de façon exponentielle, pour être ensuite concentrée par une force obscure en un puissant rayon qui m'atterrit droit dans les yeux.

Fichues paupières qui ne font pas ce pour quoi elles sont payées !

Bon. Aussi bien me lever et en profiter pour me rattraper dans mes entraînements de course. Même avec *coach* Michel à la barre des cours d'éduc, ils en ont pris pour leur rhume. Déjà que je ne suis pas la plus disciplinée ! J'ai fait moins de kilométrage, parce que j'ai été prise à faire des *squats*, des fentes et des suicides. Je dois me reprendre en main. Pas seulement pour maintenir ma vitesse, mais aussi pour ma santé mentale. Il va me falloir mettre les bouchées doubles.

En prenant soin de ne pas faire craquer les vieux planchers de bois franc, je m'habille.

L'automne est vraiment la pire des saisons pour courir. D'abord, on ne sait jamais quoi mettre. Il fait trop frais pour rester en short et en t-shirt, mais trop chaud pour revêtir un pantalon et une veste. Inévitablement, j'en mets trop. Je choisis mon trois-quarts noir, une camisole ajustée fuchsia et enfile un chandail bleu à manches longues. Peu importe que les couleurs se marient ou pas. Je m'en vais courir, pas à un défilé de mode !

Je prends aussi de petits gants de coton orange, que j'enlèverai après dix minutes, dès que mon corps se sera un peu réchauffé. Ma tuque me fait de l'œil, mais je résiste. Faut pas capoter quand même ! Je suis une nordique, non ? C'est pas un peu de froid qui va venir à bout de moi.

Le ciel de la ville est lourd. Les nuages sont bas et opaques.

Juste avant de sortir de l'appartement, je consulte Météomédia. On annonce de la grisaille, peut-être même des averses. Urgh. J'espère que les météorologues vont faire comme d'habitude et se tromper.

Il n'y a rien que je déteste plus que d'avoir à courir dans la pluie automnale. Non. Ce n'est pas vrai. Depuis un mois, il y a Sarah-Jade. Elle est en haut de la liste des choses que je déteste le plus.

Je ne peux pas m'en empêcher. C'est viscéral.

Pour la météo, je ne peux rien y faire. Alors, aussi bien m'y mettre maintenant. Si je suis chanceuse, je serai de retour avant la pluie.

Là où j'habitais avant, je n'avais pas à me poser trop de questions sur le parcours que j'allais suivre. La rue derrière chez moi coupait dans les champs au nord, faisait une grande boucle et me ramenait à l'est du village. J'en avais pour au moins quarante-cinq minutes de course sans croiser personne. Quelques vaches, une demi-douzaine de chevaux, un troupeau de moutons d'une cinquantaine de têtes, deux ou trois chiens de garde – qui parfois traversaient la rue en jappant pour essayer de me croquer les mollets – et, de temps en temps, une mouffette écrapoutie sur l'accotement (yark !). C'était bien, parce que je pouvais me perdre dans mes pensées. Il n'y avait aucune intersection pendant un bon sept kilomètres. Le bonheur !

En ville, c'est l'enfer.

Chaque deux cents mètres, je dois m'arrêter à cause d'un feu de circulation qui, évidemment, est rouge. Même si le petit bonhomme lumineux ne me donne pas la permission de traverser, je ralentis un peu, regarde à gauche et à droite, m'assure qu'il n'y a ni voiture ni autobus avant de reprendre mon rythme. Rythme cassé.

C'est pas aujourd'hui que je vais tomber dans ma zone.

Poche...

À la campagne, je n'avais pas le choix de courir dans les rues. C'était ça ou le fossé. Et à part pour un chauffard ou deux par année qui faisait exprès pour rouler dans une flaque et m'arroser, les conducteurs étaient courtois et me donnaient amplement d'espace.

Ici, c'est impensable. Trop dangereux !

Un jour, cet été, Sam est débarqué chez moi, inquiet à l'os. Il a sorti une liasse d'articles qu'il venait d'imprimer. Chacun d'entre eux faisait état d'un cycliste ou d'un piéton qui s'était fait renverser par une voiture ou un camion qui ne l'avait pas vu.

Super rassurant.

Lors de ma première sortie en ville, je n'avais pas fait cent mètres qu'on me klaxonnait en me frôlant. Les gens sont fous !

Pas question de prendre mon iPod dans ces conditions. Je le laisse à l'appartement, histoire d'entendre venir le danger qui me guette.

Heureusement, à cette heure matinale, il n'y a (presque) personne. Les trottoirs sont libres. Mais dès que la ville se sera réveillée, courir à une vitesse intéressante (donc rapide) sera tout simplement impossible, parce que les trottoirs seront envahis par les citadins.

Faut que je me trouve un parc. Un grand parc où je pourrai courir tranquille.

Après dix ou quinze minutes, mon corps se réchauffe enfin. J'enlève mes gants, les glisse dans la poche de mon trois-quarts. Ma respiration est régulière. Je peux enfin me concentrer et tenter de trouver des solutions à mes problèmes.

Mon père/Valérie.

Non. Mon cœur s'emporte. La trahison est trop vive. Il est encore trop tôt pour confronter mon père. Il n'y a qu'une seule chose que je puisse faire en ce moment : pelleter ce problème par en avant.

Sarah-Jade.

Analysons la situation : on se doute que Sarah-Jade se cache derrière la page Facebook. Qui d'autre ça pourrait bien être ? On y a pensé et aucun autre nom ne nous est venu en tête. De toute façon, depuis que je suis arrivée à cette école, Sarah-Jade a une dent contre nous et prend plaisir à nous tourmenter. Pourquoi ? Parce qu'elle est *bitch*, bien sûr ! Pas besoin de chercher plus loin. Pourquoi s'en prendre ainsi à Margot, sinon ? La si discrète Margot qui ne ferait pas de mal à une mouche.

Contrairement à ce que j'ai dit à la gang quand on a découvert la page, je crois qu'il faut contre-attaquer. Ou mieux, la prendre sur le fait. Ce qui est plus facile à dire qu'à faire, j'en conviens.

Je ne leur ai pas dit ce que j'essayais de faire. De toute manière, à date, mes attaques contre la page ont abouti à un cul-de-sac. Alors il n'y a rien à dire. Et c'est assez illégal de *hacker* une page Facebook, même si on le fait pour les bonnes raisons. C'est plus prudent pour moi si je suis seule dans le coup.

Sam.

Ça allait si bien ! Je ne comprends toujours pas ce qui nous a pris ce soir-là.

Une minute, je me surprends à revisiter ce moment dans la salle de bain de Nico, et l'autre, je me dis qu'on a été stupides.

Sam, c'est mon meilleur ami, et la dernière chose que je souhaite, c'est qu'il devienne mon chum et que ça ruine notre amitié. D'un autre côté... c'était sublime. Je ne nous ai jamais sentis aussi proches l'un de l'autre que samedi dernier. Tout allait si bien avant...

Je suis tellement une amie merdique !

Pire. Amie. De. L'histoire. De. L'humanité. *EVER*.

Sans m'en rendre compte, j'accélère. Ma vitesse est plus rapide que ce que je visais. Qu'importe ! Ça fait du bien. Et avec tous ces arrêts, c'est un peu comme si je faisais des intervalles. À ce rythme, je pourrais tenir encore longtemps. Combien de temps ça me prendrait pour courir jusque chez Sam à cette vitesse ? Il y a, quoi, un peu plus d'une soixantaine de kilomètres entre sa maison et mon appartement ? Soixante-dix peut-être ? Il me faudrait ralentir et faire plusieurs pauses, me trouver de l'eau et de quoi manger. J'y serais en après-midi.

Un cycliste surgit d'une ruelle devant moi. Je n'arrive pas à ralentir à temps, ne peux l'éviter. C'est la collision. Le contenu de son sac vole dans les airs et nous nous effondrons tous les deux sur le trottoir, empêtrés dans son vélo.

– Ouch !

Le choc est brutal. Je reprends mon souffle, me relève. Quelques étoiles dansent devant mes yeux, mais je n'ai aucune blessure. Il y a eu plus de peur que de mal. Tout autour de nous, des feuilles sont éparpillées sur le sol.

Et ça me frappe. Comme une révélation, une épiphanie.

– Ça va ? Es-tu correcte ? me demande le cycliste.

– Oui, que je réponds après un moment. Ça va. J'm'excuse.

Pourquoi n'y ai-je pas pensé plus tôt ?

Chapitre 2-3

L'avant-midi passe sans que je ne m'en aperçoive.

De retour à l'appart, j'avale une banane, prends une douche – obligatoire après ma course, considérant le fumet âcre qui se dégage de mon chandail –, m'habille tout en dévorant un bagel (un vrai, pas un pain en forme de beigne qu'on essaie de déguiser en bagel) recouvert de fromage à la crème, fais la vaisselle, passe l'aspirateur dans l'appartement – ce qui me vaut un regard interrogateur de papa –, ramasse ma chambre et pars une brassée de lavage. Je trouve même le temps de consulter internet et de trouver le plan qu'il me faut. Ça ne devrait pas être trop difficile à réaliser...

– Qui es-tu ? me demande mon père en me voyant m'activer comme une petite abeille. Un clone ? Une extra-terrestre ?

– Hein ?

– Oh non ! Tu es un androïde, c'est ça ? La révolution des robots est en cours. Hawking avait raison ! Nous n'avons rien fait et il est trop tard ! Noooooooon !

Mon père, cet acteur de série B.

– Tant pis. Si tu es pour être ma suzeraine robotique, je te souhaite la bienvenue. Laurianne va me manquer, mais je vais m'habituer. Tes aptitudes pour le ménage sont nettement supérieures aux siennes, dit-il avant de prendre une gorgée de café.

– Ha ha.

J'ai même pris une décision un peu plus tôt. Une décision mature, qui m'a moi-même surprise. Je me sens un peu plus comme une adulte. Peut-être ai-je jugé mon père trop rapidement et trop sévèrement. Après tout, il n'a pas reçu d'autres textos de Valérie cette semaine. (Je le sais, j'ai vérifié.) Si ça se trouve, j'ai monté toute cette affaire en épingle et me suis imaginé le pire.

Possibilités :
- *C'est une « amie » (avec tout ce que les guillemets impliquent – et je préfère ne pas y penser);*
- *C'est une amie (avec pas de guillemets – et je me suis inquiétée pour rien);*
- *C'est un faux numéro (et je dois apprendre à mieux gérer mes émotions).*

Chacune des options a des probabilités similaires d'être la bonne. Donc, si je suis optimiste, il y a deux chances sur trois que je n'aie pas à m'inquiéter. C'est pourquoi j'ai choisi d'arrêter de lui faire la gueule. En plus, c'était beaucoup trop exigeant de le bouder ainsi. Je déclare une trêve – secrète (il n'a jamais su qu'il y avait un froid entre nous), mais une trêve tout de même.

– Tu te souviens que la gang vient ici tantôt pour notre pratique ?

– Tu fais partie d'une gang ?

– Charlotte, Margot et Elliot, que je lui précise dans un soupir d'exaspération.

– C'est vrai, c'est aujourd'hui, ça ! J'imagine que j'ai pas le droit de rester en pyjama... soupire-t-il.

Cette fois-ci, c'est moi qui lui fais les gros yeux. Mon père sourit alors que j'ouvre la bouche pour répliquer.

– Inquiète-toi pas. Tu ne m'auras pas dans les pattes. Je dois rejoindre Yan, tantôt.

Comme promis, trois quarts d'heure plus tard, papa me laisse l'appartement. Au moins, comme ça, il ne pourra pas me faire honte la première fois que je reçois la gang à la maison. Quoique je ne perds rien pour attendre; avec lui, je sais très bien que ce n'est que partie remise.

En ouvrant la porte, je suis stupéfaite.

– Wow, Charlotte !

Hier encore, Charlotte avait une mèche rose néon dans ses cheveux noir de jais. Sa tête est maintenant d'un mauve électrique. Avec son manteau de cuir noir et son gros foulard de tricot grisâtre, elle est un sosie asiatique de Jessica Jones. Plus *cute*, si j'ose dire, à cause des taches de rousseur qui lui ornent le visage.

– J'ai comme eu une rage en me levant, ce matin.

Derrière elle, Margot lève les épaules, histoire de me dire que c'est toujours comme ça avec Charlotte.

– Ça va, aujourd'hui ? que je demande à Margot.

Elle hausse les épaules une deuxième fois, mais la signification est tout autre. Sa fatigue transparaît.

Spontanément, je la serre dans mes bras, ce qui lui redonne un peu d'aplomb.

– J'ai encore fait un cauchemar... Au moins, j'ai résisté à l'envie d'aller consulter la page.

Sarah-Jade est un troll. Avec eux, il n'y a pas de stratégie gagnante. Tout le monde sait qu'il ne faut pas les nourrir. C'est la base. Dans le cas qui nous concerne, même si Margot tente de s'en détacher, de l'ignorer et de ne pas se laisser atteindre, on sait tous que le mal se propage.

Au début, c'était terrible. Margot ne décrochait pas. Elle surveillait la page sans arrêt pour guetter la prochaine photo et lire ce qu'on allait dire à son sujet. Son état dépérissait. C'est pourquoi Charlotte, Elliot et moi sommes intervenus et avons mis un plan de protection en branle. Priorité : la sortir de ce cercle vicieux. Le plan ne compte que deux points :

- *Interdiction pour elle d'aller consulter la page (j'ai supprimé l'application de son cell et bloqué le site sur son fureteur);*
- *Formation d'une escouade de protection à l'école.*

Nous avons pris Margot sous notre aile. Notre colère, surtout celle de Charlotte, impossible à ne pas remarquer, a eu un impact notable. Ceux qui ont le malheur de trouver Charlotte sur leur chemin alors qu'ils sont sur le point de propager la dernière rumeur changent vite d'idée.

Ils doivent tous être nuls au poker. Tant de signes dans leur comportement crient ce qu'ils s'apprêtent à faire. Ils sont pathétiques.

Le nombre de railleries a rapidement diminué après quelques jours, mais on est loin d'avoir réglé le problème. Margot est toujours victime de regards en coin, de blagues que les élèves chuchotent pour que nous ne les entendions pas, de commentaires inacceptables sur FB. Pensent-ils que nous ne savons pas ce qu'ils se disent ?

Bon. Ce n'est pas parfait comme plan, mais c'est un début. Et Margot semble avoir repris du poil de la bête.

En passant au salon, c'est au tour de Charlotte de s'exclamer :

– Pincez-moi ! Je dois être en train d'halluciner.

– Quoi ? Qu'est-ce qu'il y a ? demande Elliot, encore dans le portique.

Mais elle poursuit, comme si elle ne l'avait pas entendu :

– Est-ce que je vois vraiment ce que je suis en train de voir ?

C'est notre mur de consoles qui lui fait cet effet-là.

Techniquement, ce n'est pas un mur, mais une longue table basse avec deux rangées de cinq cases. Sauf qu'à l'intérieur de chacune des cases se trouve une console différente.

Il y a deux réactions typiques au mur. Celle de Charlotte – Margot et Elliot sont respectivement émerveillée et bouche bée – représente bien la première. C'est la réaction des enthousiastes, des connaisseurs, des geeks et des gamers. L'autre réaction est plus terne. On sent un questionnement, voire une inquiétude, vis-à-vis notre santé mentale. Puis viennent les sous-réactions : on sourcille, on passe outre, on ignore, et on se dit que mon père m'a trop gâtée, qu'il n'aurait pas dû accepter tous mes caprices (pauvre papa monoparental qui vit avec une enfant-roi, il devrait apprendre à lui dire non et bla bla bla). Puis apprenant que je n'ai rien demandé et que c'est mon père qui se gâte, on se demande carrément si nous ne sommes pas un peu fous.

C'est à peu près pareil à ces personnes qui jugent les gens qui ont une bibliothèque (trop) bien garnie. « Tu les as tous lus ? » Non. « Pourquoi il y a trois copies du même titre ? » Parce que ce n'est pas la même édition. « Si tu l'as lu, pourquoi tu ne t'en débarrasses pas, d'abord ? » Blasphème !

– Trop jalouse… dit Margot.

– Ha ! Un vieux Nintendo ! Il fonctionne encore ? demande Elliot.

– Bien sûr !

– Il faut vraiment souffler dans les cartouches ? demande-t-il, incrédule.

Charlotte s'extasie devant chacune des consoles. Elle connaît leur histoire, est capable de dire quelles compagnies les ont créées, leurs années de production et certains des jeux les plus populaires. C'est un véritable voyage dans le temps.

Je ne suis même pas surprise. Impressionnée, ça, oui. Mais surprise, pas du tout. C'est du Charlotte tout craché.

Arrivée à la toute première sur la gauche, elle tombe à genoux.

– C'est pas possible… Une Odyssey, murmure-t-elle. Une vraie de vraie !

– Mon père l'a trouvée dans une vente de garage. Mais il n'a jamais réussi à la faire fonctionner. Je pense qu'elle est morte. Même si elle fonctionnait, faudrait acheter plein de fils pour pouvoir la brancher sur la télé.

– C'est quoi, une Odyssey ? demande Margot.

– Juste la mère de toutes les consoles, répond Charlotte en se relevant, comme si Margot venait d'insulter la machine. L'Ancienne. L'ancêtre de tous les jeux vidéo. S'il y avait un big bang du jeu vidéo, l'Odyssey en serait la toute première étoile. Sans l'Odyssey, nos journées seraient pas mal plus plates.

– Tu capotes ! lui dit Elliot, peu impressionné. Sérieux, tu exagères. Me verrais-tu baver devant un modèle T alors qu'on peut se déplacer en Tesla ?

– Sans modèle T, il n'y en aurait pas, de Tesla !

– Avez-vous fini, vous deux ? intervient Margot. Laurie, est-ce qu'on s'installe dans ta chambre ?

– On va être trop coincés. Je pense qu'on serait mieux sur la table de la cuisine. Sortez vos portables, je vais chercher mon ordi.

– Je vais te donner un coup de main, lance Elliot.

En fin de compte, Margot et Charlotte ont suivi, et nous nous sommes ramassés dans ma chambre. D'une main experte, je débranche mon ordi et déclipse un des moniteurs du support mural.

– Alors c'est ça, l'antre de Laurianne… dit Elliot en embrassant ma chambre du regard. Meh. Il n'y a rien de goth ici…

– Combien de fois va falloir que je te le répète ? Je ne suis pas gothique.

– Ouais, ouais, ouais, me répond-il.

– Belle installation, complimente Charlotte, en observant ma station de jeux.

Un étrange sentiment me parcourt l'échine. À part Yan et mon père, personne n'a encore pénétré dans ma chambre. Même Sam n'a pas encore mis le pied ici. Pendant un court moment, je me sens un peu trop à nue. J'ai l'impression que ma chambre va livrer mes secrets les plus intimes.

Alors qu'Elliot prend ma tour pour l'apporter dans la cuisine, Margot s'assoit sur mon lit et feuillette un *comic* qu'elle a tiré de ma bibliothèque.

– Tu as vraiment du bon stock.

– C'était la collection de mon père. Il me l'a donnée.

J'ai bien essayé de poursuivre quelques séries, mais j'avoue que ça fait un bail que je n'ai pas acheté de nouvel exemplaire. Pour celles qui m'intéressent le plus, je télécharge directement le dernier volume d'internet. Il y a plein de sites où on peut trouver les *comics* quelques jours après leur parution. C'est plus difficile pour les BD européennes. Pas impossible, mais généralement un peu plus long. Éventuellement, j'achèterai une édition spéciale des séries les plus captivantes. Ce jour-là, ça va me coûter une fortune, parce qu'il y a vraiment beaucoup de bonnes séries.

– Hey, les filles, on pratique ou quoi ? demande enfin Elliot, après être revenu dans la chambre et avoir fouiné dans la paperasse sur mon bureau. Le tournoi est dans quelques semaines à peine et il y a plein de stratégies que je veux qu'on essaye. Faut qu'on soit à notre meilleur.

Alors que je finis de brancher mon ordi, Charlotte vient s'installer devant moi, les yeux piteux. Elle tient une vieille cartouche entre les doigts.

– Est-ce que je peux te demander une faveur ? Est-ce qu'on peut jouer une partie de *Pong* ? S'il te plaît, Laurie ? S'il te plaît, s'il te plaît, s'il te plaît ! J'y ai jamais joué.

– Pour vrai ? demande Elliot, surpris.

– Jamais pour vrai. J'ai déjà joué avec un émulateur, mais jamais sur une Atari. *Come on*, Laurie. Tu serais tellement la meilleure amie de tous les temps, si tu disais oui ! implore-t-elle.

– Certainement.

– Wouhou ! crie-t-elle de joie en me sautant au cou.

Je m'assure que les bons fils sont branchés à la télévision et laisse Charlotte insérer la précieuse cartouche. C'est si intense, on croirait qu'elle a un véritable *geekgasme*. Elle est vraiment trop *cute*.

Le menu rudimentaire apparaît à l'écran. Je sélectionne le mode multijoueur et tends la manette à Charlotte et à Elliot. Archaïque, la manette unique est munie d'un fil trop court, ce qui force Charlotte et Elliot à s'asseoir par terre. Elle n'a pas de boutons, que deux grosses molettes que les joueurs doivent tourner pour déplacer leur raquette, qui n'est même pas une raquette, juste un gros rectangle blanc. Ces engins sont loin d'avoir la précision de nos contrôleurs modernes et ils ne vibrent pas quand on frappe la balle.

La partie va commencer.

Il n'y a pas plus simple que *Pong* : deux barres blanches sur un fond noir et une balle de tennis représentée par un carré blanc. La balle se déplace lentement vers Charlotte, qui couine de plaisir. Elle réussit à frapper la balle.

Bip !

– C'est quoi ce son-là ? s'exclame Elliot.

Désarçonné, il réagit trop tard, tourne la molette, mais sa barre va vers le haut alors que la balle entre tout en bas.

– Un-zéro ! s'écrie Charlotte.

– C'est pas juste. J'étais pas prêt, se plaint-il.

– Ha ha ha !!! rigole Charlotte.

Chaque fois que la balle rencontre un obstacle, un bip électronique un peu grincheux se fait entendre dans les haut-parleurs. Bip ! Bip ! Bip ! On croirait la minuterie d'une bombe prête à exploser.

– Ishe ! Je l'avais !

Charlotte augmente son avance. Une nouvelle balle apparaît au centre de l'écran. Cette fois, elle tourne vigoureusement la molette sur la manette. La balle prend une vitesse folle et adopte une trajectoire quasi verticale. Le carré rebondit plusieurs fois sur les murs, évite miraculeusement la raquette d'Elliot, avant de disparaître de l'écran.

Trois-zéro.

Elliot, qui regardait cette antiquité de haut il y a quelques minutes à peine, se laisse prendre au jeu. Il commence à mieux maîtriser sa molette. Toute simple soit-elle, elle a ses caprices. Petit à petit, il remonte la pente et la compétition se fait plus serrée.

Margot et moi sommes crampées de voir Charlotte lever les fesses du sol chaque fois qu'elle tente de frapper la balle, comme si ça allait faire une différence.

– C'est pas une Wii, lui rappelle Margot.

– Pas grave… La manette… comprend mieux ! répond Charlotte en frappant la balle.

Et pour prouver qu'elle a raison, elle marque un autre point.

– Wô, wô ! Ça compte pas. La manette marche plus ! se plaint Elliot.

– *Loooooser !!!* le nargue-t-elle.

Quelques minutes plus tard, complètement dominé, le pauvre Elliot s'avoue vaincu et s'effondre sur le plancher du salon.

– Pouah ! J'ai jamais cru qu'une partie de tennis pouvait être aussi exigeante.

Après que Margot a pu jouer et battre Charlotte, qu'Elliot a pu prendre sa revanche contre Charlotte, qu'il s'est ensuite fait humilier par Margot, puis par mes soins, que j'ai pu vaincre Margot, mais dû m'incliner devant Charlotte, nous nous installons enfin devant nos ordis respectifs.

– Bon ! Passons aux choses sérieuses, déclare Elliot.

Prenant son rôle de capitaine au sérieux, il nous présente son chef-d'œuvre.

– Dites bonjour à votre nouveau meilleur ami, nous dit-il en nous tendant un cahier de stratégies sur lequel il travaille depuis une semaine et que l'on doit apprendre par cœur.

Pendant une demi-heure, graphiques à l'appui, il nous présente ses plans d'attaque, de défense, de contre-attaque, d'attaque-surprise.

– Est-ce qu'il y a une défense-surprise ? que je lui demande pince-sans-rire.

– Page huit, troisième paragraphe, pourquoi ? répond-il, ce qui nous fait crouler de rire.

Quatre heures de jeu plus tard, mon père interrompt notre session de pratique. Nous relevons la tête de nos écrans, étonnés de ne pas avoir vu le temps passer, d'avoir joué si longtemps sans avoir pris une seule pause. Il nous propose de commander une énorme pizza.

Quelle personne saine d'esprit refuserait cette proposition fantastique ?

Chapitre 2-4

Bon. Nous sommes loin d'être parfaits ; les grandes stratégies d'Elliot aussi, mais il a de bonnes idées. Il fait un bon capitaine. Ce qui ne fonctionnait pas, il l'a mis aux poubelles ou nous a proposé des variantes. Il est parfois un peu chiant quand il tient trop à son idée, mais il a bien fait ça. On riait de lui quand il nous a proposé de former une équipe, mais il a su exploiter les forces de chacune. Dans l'ensemble, ça se déroule assez bien. Les pratiques à venir vont huiler la mécanique de la machine. On a de bonnes chances.

Constatant le changement radical dans mon humeur, papa a insisté pour tout ramasser dans la cuisine. Quelque chose me dit qu'il sait que je fais un grand effort. Alors je suis retournée dans ma chambre... et j'ai laissé la porte grande ouverte. S'il y a un geste qui en dit long, c'est bien celui-là.

Je reprends le plan trouvé sur internet, que j'ai imprimé, et fais la liste de tout ce qu'il faudra me procurer : un tube en carton, un ressort de compression, de la colle chaude... En fait, je n'ai rien de tout ça sous la main. Une visite à la quincaillerie s'impose.

– Je peux entrer ? me demande papa depuis le couloir.

– Bien sûr.

– Qu'est-ce que tu prépares ?

– Ma vengeance.

– Je peux ?

Je lui tends la feuille sur laquelle se trouve le plan. C'est pas si méchant que ça, après tout. Surtout quand on le compare à ce que Sarah-Jade nous a fait subir au cours du dernier mois. Ce sera bref, intense, et très très très très visible… si jamais ça fonctionne.

Le pire serait de se retrouver avec un pétard mouillé.

– As-tu pensé aux victimes innocentes ?

– Le rayon d'action devrait être assez limité. Les seuls dommages collatéraux que j'envisage sont des complices potentiels.

– Comptes-tu faire des tests ?

– Bien sûr, pour m'assurer que le mécanisme fonctionne bien.

– Pas à l'intérieur, j'espère.

– Non, non. Inquiète-toi pas.

– Je vois que tu as pensé à tout. Tu es diabolique, me dit papa, un sourire en coin.

– Tu crois que j'en fais trop ?

– Après ce qu'elle t'a fait à la bibliothèque ? Absolument pas. Assure-toi simplement de ne pas laisser d'empreintes. Si la police débarque ici pour t'arrêter, je nierai que tu es ma fille.

– La police ne viendra pas, que je dis, confiante, mais me laissant une note mentale pour effacer toutes les traces permettant de remonter jusqu'à moi.

– Je dirai que j'étais ton otage et que tu me forçais à t'acheter de la pizza, ajoute-t-il en me donnant un bec sur la joue. Couche-toi pas trop tard, OK ?

– Promis.

Après une heure à étudier le plan, je suis toujours trop excitée pour me coucher. Je décide de me connecter à la *Ligue*. Juste un peu.

Sur mon écran secondaire, j'ouvre un fureteur avec mes onglets habituels : ma boîte de courriel, Facebook, Google, etc. Je recadre mon gestionnaire de musique dans le coin inférieur gauche de l'écran, ouvre Skype et modifie mon statut pour qu'il affiche « absent ».

La fenêtre de jeu prend tout l'espace de mon moniteur principal. L'idéal serait d'avoir mon image sur mes deux écrans, mais je ne pourrais plus faire de recherche. En fait, plus j'y pense, plus je me dis que ce ne sont pas trois, mais quatre moniteurs qu'il me faudrait. J'en aurais trois disposés côte à côte pour une meilleure visibilité, et un quatrième par-dessus pour mes recherches.

Bah ! Je me débrouille bien avec deux moniteurs en ce moment.

Stargrrrl apparaît dans le hangar au sommet de la montagne. Avant toute chose, je vérifie son armure, que j'ai enfin pu remplacer. Plus récente, elle est faite d'un matériau plus résistant et plus léger que le Kevlar. Ce sera particulièrement efficace dans les combats rapprochés.

La sphère qui a frappé notre jet se trouve dans l'inventaire personnel de Stargrrrl. J'ai tenté de laisser l'objet dans le hangar, avec mon surplus de matériel, mais il réapparaît toujours sur mon avatar. De toute façon, il ne prend que peu de place et ne pèse presque rien. Pas assez pour entraver les mouvements de Stargrrrl. Je finirai bien par découvrir ce que c'est en temps et lieu.

Il y a dix jours que notre nouveau jet a failli s'écraser et nous tuer tous les deux. Sam a réussi à ramener l'avion au hangar. Il espérait réparer l'aile endommagée. C'était une véritable obsession pour lui. Parce qu'il n'y avait rien dans le hangar nous permettant de le réparer nous-mêmes. Ni pièces ni outils.

– Ça n'a aucun sens ! répétait-il. Qu'est-ce qu'ils croient, qu'avec mon jet, je vais éviter les zones de combat pour faire du tourisme ? C'est certain que je vais me faire tirer dessus, mais je vais m'arranger pour qu'on revienne à bon port en un seul morceau, lui et moi. Alors, on fait comment pour le réparer ? Qu'est-ce qu'on a raté ?

Pendant que Sam était préoccupé par nos ailes (surtout par celle qui avait un trou de la taille de ma main), moi, c'étaient les portes de ce hangar qui m'inquiétaient. Nous avons réussi à trouver le code pour entrer en moins de deux. Il est plus que probable qu'un joueur qui parviendrait à notre base le trouve lui aussi. Peut-être plus rapidement que moi.

Je me suis donc assigné la tâche de reprogrammer le panneau de contrôle. Ça n'a pas été facile. Au début, j'ai cru que j'allais devoir en apprendre plus sur les circuits électriques. J'ai même téléchargé des manuels à cet effet, mais je n'y comprends rien. Ça aurait quand même été *cool* si j'avais pu faire sauter le panneau, brancher quelques pinces pour rediriger les signaux, refermer le panneau, et voilà ! Comme à Hollywood !

Je pensais trop. (Je pense toujours trop !) La solution était plus simple.

En entrant le code Konami et en pressant le bouton SELECT, le panneau me donnait accès à un menu de contrôle me permettant de reprogrammer le mot de passe.

J'ai perdu trois jours à apprendre l'électronique pour rien !

L'entêtement de Sam a aussi été largement récompensé; il a finalement trouvé ce qu'il cherchait dans la paperasse du bureau.

Quand nous avons découvert ce hangar et le jet qu'il abritait, j'avoue que nous n'avons pas pris le temps de faire l'examen complet de ce qu'il contenait. Après avoir sécurisé le périmètre, notre attention s'est naturellement portée sur cette belle pièce d'aviation qui venait de nous tomber dans les mains.

Bref, la solution se trouvait dans cette paperasse. L'un des formulaires était un bon de commande. Les coûts des réparations y étaient déjà indiqués. Dès notre retour au hangar, l'avion a communiqué à la base ce qu'il lui fallait. Pendant tout ce temps, le bon attendait sagement une confirmation de notre part.

Lorsque Sam a cliqué pour accepter la réparation, le coût en crédits a été déduit de nos comptes. Puis des trappes se sont ouvertes dans le sol, laissant apparaître des bras mécaniques qui se sont immédiatement mis au boulot. Après quelques heures, notre ADAV était comme neuf.

Nous sommes allés récupérer l'équipement que nous avions laissé dans notre cache primaire, soit très peu de choses, et en avons profité pour faire un petit raid sur le trajet du retour. Nos ennemis ne nous ont jamais vus venir. Ce fut loin d'être une bataille à armes égales.

Ce jet vient de changer la donne. Nous ne sommes plus les pauvres joueurs sous-équipés cherchant à survivre. Nous sommes maintenant les rois du monde. Attention, tout le monde ! Sam2dePique et Stargrrrl s'en viennent ! Mouhahahaha !

J'exagère.

Il ne faudrait pas trop attirer l'attention avec notre jet. De ce que j'ai pu lire sur différents blogues, ils ne sont pas légion. Sam voudrait sûrement voir le nom de son avatar apparaître dans un des articles, mais nous sommes loin d'être prêts à gérer cette pression. Sans compter que notre jet va faire des jaloux. Des mercenaires vont vouloir nous le dérober pour la seule et unique raison que nous en avons un et eux pas. C'est ce que je tenterais de faire. Si nous, nous avons un jet, qui sait ce qu'eux peuvent avoir dans leur arsenal !

Mieux vaut rester discret.

Je voudrais aller faire une mission de reconnaissance de l'autre côté du chaudron. Mais je ne veux pas prendre le jet; je risquerais de le *crasher* dans la montagne et/ou de me faire voir. Il me faut donc redescendre la montagne, traverser le village et trouver le campement ennemi qui contrôle la route par laquelle nous sommes arrivés, Sam et moi. Il commence à se faire tard. Je ne crois pas avoir le temps de m'y rendre et de revenir au hangar ce soir. Si je me grouille et que je commets une erreur, que Stargrrrl se fait repérer, par exemple, ils pourraient suivre mon avatar jusqu'ici et découvrir notre base. Non. La chose à faire, c'est de remettre la mission à plus tard.

Déçue de n'avoir rien accompli, je m'assure que les portes du hangar sont bien fermées et me déconnecte du serveur. J'enfile mon casque d'écoute et fais jouer la trame sonore de *Daredevil*.

Je glisse la fenêtre de mon fureteur sur mon moniteur principal et accède au site de la communauté de la *Ligue*. Toujours rien à propos de l'extension. Je glane les informations sur les grands mouvements dans le jeu.

KPS a eu la bonne idée de recruter des journalistes qui rapportent les grands conflits ou batailles qui ont lieu. Ce sont de véritables correspondants de guerre.

Un des articles les plus lus du site a été publié au printemps dernier, par Layveke1922. Il suit les mouvements des différentes alliances qui sont actives sur les serveurs. Sur *Terra I*, il y a des centaines d'alliances plus ou moins grandes qui ont toujours besoin de chair fraîche. Les joueurs peuvent les rejoindre, en échange de protection et d'équipement, voire d'un petit salaire versé en crédits sur leur compte, s'ils accomplissent des missions pour elles. Ces groupes sont l'équivalent de petits États à l'intérieur de la *Ligue*. Certains ont pris le contrôle de villes, d'autres sont de véritables empires. Il y a des bandes plus modestes, comme celle à l'entrée du chaudron. Et qui dit alliances dit jeux de pouvoir, manigances, guerres et conquêtes...

Un joueur nous a déjà approchés, Sam et moi, pour nous recruter au sein de la Républ1queDBNN, mais nous avons décliné l'invitation. Nous préférons travailler en solitaire. Enfin, en petit groupe de deux, juste lui et moi. En duo !

L'article de Layveke1922 parlait d'un conflit opposant deux groupes : l'Ordre de la phalange et la Citadelle. La Citadelle, c'était l'une des alliances les plus importantes au sein de la *Ligue*, regroupant quelques milliers de joueurs. Du jour au lendemain, elle avait été dissoute et son territoire s'était vu annexé par sa rivale, qui avait du même coup recruté plus des deux tiers des membres de la Citadelle. Un bon coup, quoi.

Tous les joueurs s'étaient demandé ce qui était arrivé pour qu'une alliance entière disparaisse du jour au lendemain. Layveke1922 avait découvert que l'Ordre avait engagé un espion pour infiltrer la Citadelle. En l'espace de quelques mois, l'espion avait gagné la confiance des officiers et, dans un attentat décisif, il avait réussi à éliminer les dix têtes dirigeantes de l'alliance, permettant à son commanditaire de récupérer la coquille vide de l'alliance et d'étendre son emprise.

Dans le blogue de la communauté de *La Ligue des mercenaires*, un fil attire mon attention. Ce n'est pas tant le sujet du fil de discussion (*Comment faire pour savoir le nombre exact de parties jouées?*) qui m'intrigue, mais plutôt la quantité de commentaires publiés. Il y en a des centaines et des centaines!

Je clique dessus. Des gamers racontent avoir été la proie d'attaques bizarres. Des attaques aussi rapides que dévastatrices. Certains disent avoir vu des créatures étranges, d'autres des vaisseaux qui bombardaient des convois ou des bunkers. C'est un vrai fouillis de n'importe quoi. Ça m'a plus l'air d'une mauvaise blague pour effrayer les *noobs*.

Je doute fortement que ce fil soit sérieux. La majorité des commentaires viennent de joueurs qui disent avoir été tués. Ils sont frustrés. Ça, c'est clair. Mais aucun n'a de récit cohérent ou de preuve à offrir. Au mieux, ils ont des images floues. Ce qui alimente les théories les plus ridicules : loups-garous, vampires, intraterrestres, super soldats NPC venus faire le ménage…

Sans preuve, tout le monde devient fou et s'accroche à la première explication, soit-elle la plus farfelue.

« Si tu entends des sabots, pense à un cheval, pas à un zèbre », m'a déjà dit mon père. D'après moi, le cheval est un groupe bien organisé qui cherche à semer le chaos. Mais pourquoi s'en prendre à autant d'alliances à la fois ? Pourquoi ne pas se concentrer sur un objectif précis ? Il cherche à déstabiliser les forces en puissance. Mais pourquoi ?

Chapitre 2-5

Avant d'aller au lit, il me reste encore une chose à faire.

Dans le fureteur de mon ordi, je clique sur un raccourci qui m'amène directement sur la page Facebook. La page au code indéchiffrable. Sans succès, je m'y suis attaquée à coup de deux heures par soir, tous les soirs cette semaine. J'ai dit sans succès ? Zéro pour cent de réussite ! Ça me déprime.

Pourtant, une page Facebook gérée par Sarah-Jade ne devrait pas me donner autant de fil à retordre. Qu'est-ce qui se passe ? Je suis meilleure que ça. Je suis meilleure que Sarah-Jade.

Allez, Laurianne ! Concentre-toi.

Pirater un compte est en partie une affaire de psychologie, parce que les humains aiment la routine, et les *hackers* exploitent cette information lorsque vient le temps de trouver un mot de passe, moi la première. Quatre-vingt-cinq pour cent des mots de passe sont générés à partir des mêmes formules : une majuscule, cinq minuscules et deux chiffres; ou une majuscule, six minuscules et deux chiffres; ou une majuscule, trois minuscules et quatre chiffres, et ainsi de suite. Ce n'est qu'une question de permutation avant de trouver le code.

Sarah-Jade devrait tomber dans le lot. Apparemment, j'ai tort.

Cette fille est bizarre.

Faut dire que je m'entête à la pirater avec un logiciel de ma création. Ça ne fonctionne pas. Je frappe un mur. J'ai besoin d'aide.

Je déplace la fenêtre affichant la page Facebook dans mon moniteur secondaire et lance un second fureteur, plus discret celui-là.

Dans la barre d'adresse, j'inscris l'URL d'ACCèS ReFuSé. Quinze minutes plus tard, j'ai le bon outil en main. Dans le forum de discussion, un *hacker* bien connu du site y va de sa recommandation : le logiciel d'une firme de sécurité conçu pour récupérer les mots de passe, qu'il a piratés (la firme et le logiciel) pour satisfaire ses besoins.

J'active aussitôt le logiciel.

Le mot de passe de Sarah-Jade est vraiment complexe. Ça prend plus d'une heure au logiciel de piratage pour forcer l'accès.

Ce qui me surprend encore plus, c'est que le nom de ma meilleure ennemie ne se trouve nulle part sur la page, qui n'est pas non plus associée à son compte personnel. De plus, le courriel utilisé est aussi faux. L'adresse ne porte pas le suffixe générique du compte que l'école nous fournit – quoique je ne l'utilise pas non plus. Elle a pris de bien grandes mesures pour se protéger. Je l'ai sous-estimée. Peu importe, elle a sûrement fait une erreur et je la démasquerai. Ce ne sera que plus satisfaisant de prouver que c'est bien elle qui est derrière cette entreprise de diffamation.

Je fourbis mes armes pour tenter de retrouver l'origine de la page. Il me faudra mettre la main sur un de ses courriels ou sur une photo téléchargée à partir de son téléphone pour pouvoir recouper l'information et confirmer qu'elle est bien responsable…

Hein ?

C'est étrange. Cette adresse IP n'a aucun sens. J'ai dû faire une erreur.

D'un clic de souris, je balaie l'information et reprends ma recherche. Mais le résultat est tout aussi déroutant. L'adresse que j'obtiens est assurément fausse. À moins que Sarah-Jade ait déménagé en Biélorussie au cours de la fin de semaine, il semble plus probable d'envisager qu'elle utilise un réseau privé pour brouiller sa piste.

Une alerte de notification résonne dans le silence et me fait sursauter.

Ljean_KPS_soutientechnique : salut

Stargrrrl : Salut…

Ljean_KPS_soutientechnique : Mon nom est Louis-Jean. Je suis membre de l'équipe de soutien technique du studio KPS.

Stargrrrl : Pour vrai ? Louis-Jean… Comme le chantreu ?

Stargrrrl : *chnterU

Stargrrrl : *chanteur

Ljean_KPS_soutientechnique : ou i oui :-)

Stargrrrl : Qu'est-ce que je peux faire pour vous, Louis-Jean ?

Ljean_KPS_soutientechnique : Notre équipe de sécurité a détecté des irrugularités provenant de ton compte et il faudrait vérifier tes informations.

Stargrrrl : Ah ouin ? Bizarre…

Ljean_KPS_soutientechnique : D'après le rapport de nos serveurs, ils se pourrait que ton compte ait été piraté.

Ljean_KPS_soutientechnique : mmmmmgmmgr

Ljean_KPS_soutientechnique : oups. Désolé.

Ljean_KPS_soutientechnique : As-tu partagé les Informations de ton compte avec quelqu'un ?

Stargrrrl : Non.

Ljean_KPS_soutientechnique : Il faudrait valider tes infos avec moi, je vais m'assurer qu'il n'y a que ton IP qui aura accès aux nouveaux paramètres de sécurité qu'on est en train d'installer. On a tellement de users. Avec autant de noms d'usager et de mots de passe à gérer, il y en a plein qui ne sont plus sécures. Ça arrive, tsé. :-)

Stargrrrl : Bon.

Ljean_KPS_soutientechnique : il y a peut-être un keylogger sur ton PC.tuu vas peut-être avoir à le formater

Stargrrrl :…

Ljean_KPS_soutientechnique : OK.

Ljean_KPS_soutientechnique : Inquiète-toi pas. Cette connexion est sécurisée.

Ljean_KPS_soutientechnique : Stargrrrl ?

Ljean_KPS_soutientechnique : Toujours là ?

Stargrrrl : Je peux être honnête avec toi, Louis-Jean ?

Ljean_KPS_soutientechnique : bien sûr

Stargrrrl : Je ne sais pas qui tu es. Je ne sais pas ce que tu veux. Si tu veux une rançon, je peux tout de suite te dire que tu perds ton temps.

Ljean_KPS_soutientechnique : ???

Stargrrrl : Ce que j'ai, ce sont des compétences particulières que j'ai acquises avec le temps. Des compétences qui peuvent faire de ta vie un vrai cauchemar.

Ljean_KPS_soutientechnique : De quoi tu parles ?

Stargrrrl : T'as pas encore compris...

Stargrrrl : Pauvre Louis-Jean (je doute que ce soit ton vrai nom).

Stargrrrl : Contrairement à toi, je travaille vraiment pour KPS.

Ljean_KPS_soutientechnique : Quoi ???

Ljean_KPS_soutientechnique : Tu me niaises ???

Ljean_KPS_soutientechnique : Shit !

Stargrrrl : Vérifie mon adresse IP. Tu vas voir.

Ljean_KPS_soutientechnique : Comment je fais ça ?

Stargrrrl : (O.o)

Stargrrrl : ... soupir...

Stargrrrl : OK. Start/run/cmd

Stargrrrl : tape tracert kps.com

Ljean_KPS_soutientechnique : d'accord.

Ljean_KPS_soutientechnique :...

Ljean_KPS_soutientechnique : Heu… je sais pas trop là. Il y a comme plein de lignes qui sont apparues dans une fenêtre…

Stargrrrl : En tant qu'employés de KPS, nous ne contactons jamais les usagers pour leur demander leur user et/ou leur mdp.

Stargrrrl : Je vais être dans l'obligation de suspendre temporairement ton compte.

Ljean_KPS_soutientechnique : Pourquoi ?

Stargrrrl : T'as pas lu les conditions d'utilisation ?

Ljean_KPS_soutientechnique : ben non, il y a jamais personne qui lit ça…

Stargrrrl : C'est une grave infraction que tu viens de commettre, « Louis-Jean ». On pourrait supprimer ton compte.

Ljean_KPS_soutientechnique : Pkoi ?

Stargrrrl : Come on, Louis-Jean. Je viens juste de te dire pourquoi. Article 42.7 des conditions. Tu iras lire ça tantôt.

Ljean_KPS_soutientechnique : ☹

Stargrrrl : Écoute. Je ne serai pas chienne. Je pense que tu comprends que tu as fait une erreur. De mon côté, j'ai pas le choix de flagger ton compte. Comme c'est ta première violation, tu vas être suspendu, mais que trois jours. D'accord ?

Ljean_KPS_soutientechnique : ok

Stargrrrl : On va tenir ton compte à l'œil. Si tu recommences, il n'y aura pas d'avertissement. C'est le bannissement automatique. Tu comprends ?

Ljean_KPS_soutientechnique : oui… J'm'excuse.

Stargrrrl : C'est déjà un début. Je vais mettre une note à ton dossier.

Stargrrrl : À quel nom est-ce que ton compte a été ouvert ? Pas ton nom de user, mais ton nom IRL. C'est à des fins de vérifications.

Ljean_KPS_soutientechnique : Pierre-Emmanuel Gallant

Stargrrrl : Pierre-Emmanuel, c'est toi ?

Ljean_KPS_soutientechnique : oui

Stargrrrl : Es-tu le seul utilisateur du compte ?

Ljean_KPS_soutientechnique : oui

Stargrrrl : Quel est ton nom d'utilisateur ?

Ljean_KPS_soutientechnique : Kataprout

Stargrrrl : T'es sérieux ? Ton user, c'est Kataprout ?

Ljean_KPS_soutientechnique : Ben oui. Je l'ai mis quand j'avais 9 ans et je ne l'ai jamais changé.

Stargrrrl : Et tu as quel âge aujourd'hui, Pierre-Emmanuel ?

Ljean_KPS_soutientechnique : 11

Stargrrrl : OK. Parfait.

Stargrrrl : Et quel est le mot de passe de ton compte ?

Ljean_KPS_soutientechnique : asdf0987

Stargrrrl : Un conseil, tu devrais choisir un mot de passe plus complexe. C'est facile à pirater, ce genre de code.

Stargrrrl : Je vois que tu as acheté quelques-uns de nos jeux. Merci. :-)

Ljean_KPS_soutientechnique : Est-ce que je vais pouvoir jouer ce soir ?

Stargrrrl : Un instant, je vérifie l'information.

Ljean_KPS_soutientechnique : Madame ?

Stargrrrl : Es-tu connecté à ton compte en ce moment ?

Ljean_KPS_soutientechnique : Oui.

Stargrrrl : Il faudrait que tu te déconnectes pour que je puisse mettre tes informations à jour.

Ljean_KPS_soutientechnique : Pis est-ce que je vais pouvoir jouer ?

Ljean_KPS_soutientechnique : J'ai un tournoi.

Ljean_KPS_soutientechnique : Je suis le MVP de mon équipe. Lol !

Stargrrrl : Ça va prendre une petite minute.

Stargrrrl : Es-tu déconnecté ?

Ljean_KPS_soutientechnique : oui

Stargrrrl : Ce ne sera pas long.

Ljean_KPS_soutientechnique : OK.

Ljean_KPS_soutientechnique : ...

Ljean_KPS_soutientechnique : Eille ! Ça dit « échec de connexion » !

Ljean_KPS_soutientechnique : Pourquoi c'est écrit « échec de connexion » ?

Stargrrrl : Je te l'ai dit tantôt. KPS ne te demandera jamais ton user ou ton mdp.

Ljean_KPS_soutientechnique : Quoi ???

Stargrrrl : Je ne travaille pas plus pour KPS que toi.

Ljean_KPS_soutientechnique : OMG ! Pkoi, dude ?

Stargrrrl : Vraiment ?

Stargrrrl : Tu viens d'essayer (lamentablement) de me voler mes codes ! (Et si je peux me permettre, t'as été vraiment nul.)

Ljean_KPS_soutientechnique : Même pas vrai !!!

Stargrrrl : Pfff ! Pis menteur à part de ça.

Ljean_KPS_soutientechnique : C'était juste une blague ! Stp, redonne-moi mon compte ! Come on ! Stp. Sois *cool*.

Stargrrrl : ¯_(ツ)_/¯

Ljean_KPS_soutientechnique : (╯° □°）╯︵ ┻━┻

Stargrrrl : Arrête de brailler. Je vais réactiver ton compte dans trois jours.

Ljean_KPS_soutientechnique a été bloqué.

Chapitre 2-6

Salut Laurie !

Hey Sam ! ☺

Qu'est-ce que tu fais ?

Lecture. Roman. Trop long. Toi ?

Rien.

...

... ?

Heu...

Tu voulais me parler ?

Oui.

Veux-tu *skyper* ?

Je ne peux pas. Je suis supposé être en train d'étudier pour un examen.

Je pensais à toi.

Toi ?

Quoi, moi ?

Ben… Je sais pas… T'ennuies-tu ?

Oui.

Je le savais.

T'es con. ☺

Toi ?

Certain.

Je devrais te laisser finir ton livre.

OK

Sam ?

Quoi ?

Qu'est-ce que tu vas frire pour Daphnée ?

?

*faire

Qu'est-ce que tu vas faire ?

Ha ha!!! Autocorrecteur

Mdr !

Je sais pas encore.

J'ai pas vraiment eu l'occasion de lui parler.

T'as juste eu une semaine au complet!

Elle va te trouver bizarre…

Penses-tu que Nico va s'ouvrir la trappe?

Nan. Nico, c't'un chum.

Cool.

Mais ça ne règle pas notre problème.

Vas-tu parler à Daphnée?

Sam?

Pour lui dire quoi?

Ben

Ça dépend…

De quoi?

De quoi tu penses, niaiseux!

Toi, qu'est-ce que tu veux?

Comme toi.

?

Chapitre 2-7

Notre point de rencontre se trouve à un coin de rue de l'école, directement devant le poteau de l'arrêt d'autobus. Ce matin, c'est moi la première.

La température est anormalement froide en ce mois d'octobre. Même si le soleil est bien présent dans le ciel, ses rayons manquent de puissance. Le smog qui recouvre la ville les empêche de nous réchauffer. J'ai beau avoir enfilé un manteau et relevé le capuchon de mon kangourou, sans foulard, le vent glacial se glisse contre ma peau et vient m'arracher une série de frissons. Je sautille sur place avec l'espoir futile de me réchauffer.

Depuis que j'ai mis le nez à l'extérieur, je me cache les mains dans les poches pour les garder au chaud. En vain. J'hésite entre les y laisser pour conserver le peu de chaleur qu'elles retiennent encore, ou les sortir pour tenter de les réchauffer en soufflant dessus. C'est une situation où je ne peux que perdre. Peu importe l'option, j'ai le bout des doigts engourdi.

Trois minutes plus tard, Charlotte et Elliot se rapportent pour notre mission.

– Salut, me dit Charlotte.

– Brrrrr ! parvient à grelotter Elliot, la tête emmitouflée dans une tuque de laine rouge garnie d'un énorme pompon.

– Belle tuque, que j'ironise, en choisissant finalement de souffler sur mes mains pour les réchauffer.

– Je sais. Ça, c'était le moins pire des choix. De
toute façon, il n'y a pas un seul univers dans tout le
multivers où une tuque me va bien. Ça me fait une
tête de gland, avoue-t-il. Mais ça me garde les idées
au chaud !

Le rouge de sa tuque ne s'agence ni avec son
foulard ni avec son manteau brun, qui semble tout
droit sorti des années 1990 avec sa bandelette
fluorescente jaune.

– Si ça continue comme ça, dit-il, demain, j'enfile
ma salopette ! M'en fous d'avoir l'air ridicule, si je
peux être au chaud !

– L'hiver va être long… me fait remarquer
Charlotte, un sourire gelé en coin.

– Ouais, ben, c'est ça, le problème ! Je te ferai
remarquer qu'il reste encore deux mois avant que
l'hiver commence. Foutus changements climatiques…
Je ne peux pas croire qu'il y a des gens qui ne veulent
pas voir la réalité en face pis qui sont prêts à ne rien
faire pendant que la planète se fait scrapper par les
pétrolières !

– Coudonc, t'es-tu levé du mauvais pied ?

– Non… Oui. Je suis passé tout droit. C'est pas
important ! ajoute-t-il rapidement. J'ai juste pas envie
de me transformer en Popsicle à matin.

Charlotte étire la tête et cherche l'autobus des
yeux.

– Toi, ça va ? me demande Elliot après un moment. Pas ben jaseuse...

Pour seule réponse, je hausse les épaules.

Si seulement il savait ! Ça fait deux jours que j'ai réussi à *hacker* la page FB. Deux jours que je suis assise sur l'information. Toutes les tentatives de remonter à la source me mènent à une impasse. Allemagne, Irlande, Australie, Corée, Andorre, Suisse, Slovaquie, Ukraine, Croatie, je visite tous les pays les plus exotiques ! Le réseau privé virtuel utilisé par Sarah-Jade pour camoufler ses traces génère une nouvelle adresse IP toutes les deux minutes et me redirige vers un nouveau serveur anonyme. Ma traque tourne en rond. Il me manque du temps pour contourner les défenses et suivre sa piste.

Évidemment, je pourrais prendre le contrôle de la page, la supprimer. Mais ce serait inutile. Sarah-Jade n'est pas du genre à se laisser abattre aussi facilement. Je l'ai vu dans son regard. La page disparue, une nouvelle renaîtrait aussitôt de ses cendres et tout serait à recommencer. De plus, elle saurait que quelqu'un est sur ses traces. Non. Jouer au chat et à la souris ne me mènera à rien, sauf à perdre du temps. Le seul moyen de mettre un terme à tout ceci, c'est de trouver une information qui prouverait son implication hors de tout doute.

Lorsqu'enfin Margot arrive, nous marchons à ses côtés et l'accompagnons jusqu'à sa case. Charlotte ouvre la voie avec son air déterminé, tandis que je me tiens à côté de Margot, prête à l'exfiltrer vers un lieu sûr, au besoin. Elliot nous suit toutes les trois, surveillant les arrières de notre amie.

Heu… non. Protégeant ! Protégeant ses arrières.

Alors que je laisse mon manteau ainsi que quelques manuels et cartables dans ma case, Elliot fait le guet.

– L'opération Vibranium se déroule à merveille, les filles, déclare-t-il.

– Parce qu'on arrive à faire dévier les attaques ? *My God*, tu es tellement brillant ! dit Charlotte, sarcastique.

– Quoi ? T'essaieras de trouver un nom qui sonne bien, toi !

– Qu'est-ce que tu dis de « Opération Si-Ça-Continue-Je-Vais-Mettre-Mon-Poing-Dans-La-Face-De-Vous-Savez-Qui » ?

Sa répartie nous fait rire. Même Margot. Le hic, c'est que Charlotte ne blague pas. Si ça continue, elle va vraiment mettre son poing dans la face d'on sait qui.

– Je suis sérieuse ! Personne à part nous ne semble trouver ça grave. Le directeur n'a rien fait à part son discours à l'interphone. Dénoncer la page à Facebook n'a encore rien donné. Tous des hypocrites ! Je me demande bien comment ils réagiraient s'ils étaient à la place de Margot, eux.

Plutôt que d'attendre que la cloche sonne, nous avons pris l'habitude de nous rendre directement en classe. Nous minimisons les rencontres importunes ainsi que les possibilités qu'on s'en prenne à

Margot. Mais avant même qu'on soit sortis du sous-sol, je constate une recrudescence des rires moqueurs, des regards de travers. Une fille se cache pour passer un commentaire à son amie. Les deux amies nous croisent en gloussant.

Il y a une nouvelle publication sur la page. J'en mettrais ma main au feu. Mais le signal Wi-Fi de l'école ne se rend pas jusqu'au sous-sol, qui est un véritable bunker avec ses murs de béton et sa tuyauterie d'après-guerre. Impossible de savoir ce que c'est pour le moment.

Nous accélérons le pas.

– Connasse, lance un gars un peu trop fort depuis sa case.

L'erreur.

Charlotte arrête net. Je vois ses épaules se crisper, ses poings se fermer. Elle ne fait ni une ni deux et, tel un joueur de hockey prêt à recevoir une pénalité pour inconduite, elle laisse tomber son sac à dos.

Pendant un instant, je suis convaincue qu'elle va lui faire ravaler ses paroles d'une manière plus littérale qu'imagée. Mais elle ne fait que se planter devant lui.

– Qu'est-ce que tu as dit ?

– Rien, lui répond le gars, un peu surpris qu'on l'ait entendu.

– Répète-le donc, si t'es un homme ! lance-t-elle en défi. Vas-y, chose ! Traite-la encore de connasse. Dis-le plus fort, que tout le monde t'entende ! ordonne-t-elle.

Une quarantaine de paires d'yeux se tournent vers lui, attendant de voir comment il va réagir, s'il va oser répéter l'insulte.

Pris de court, le gars bafouille. Il ne pensait pas se retrouver ainsi sur la sellette. Désarçonné par cette fille aux cheveux mauves, le gars en perd tous ses moyens. Il claque maladroitement la porte de sa case et doit s'y reprendre à deux fois avant de s'enfuir, la queue entre les jambes.

– Ouais ! C'est ça ! T'es juste un lâche. Sauve-toi ! Je sais elle est où, ta case, bonhomme !

Charlotte revient vers nous en pestant silencieusement, prend deux profondes inspirations pour se calmer et demande à Margot si elle va bien.

– Mon armure de zénitude, c'est de la crotte de chat, justifie-t-elle.

– Mademoiselle Yi ! tonne une voix dans le couloir.

L'intervention de Charlotte n'est pas passée inaperçue. Tant mieux. Elle voulait que tout le monde la voie, que tout le monde sache que si on s'en prenait à Margot, c'est à elle qu'on aurait affaire. Le hic, c'est que madame Céline, une des surveillantes, en a aussi été témoin. Et, à entendre le bruit sec de ses talons sur le ciment, elle n'approuve pas la méthode de Charlotte.

– Bureau du directeur ! Maintenant ! lui ordonne-t-elle sur un ton grave.

Nous roulons tous des yeux. Bien sûr ! Comment se fait-il qu'elle arrive dix secondes trop tard, celle-là ? C'est Charlotte qui passe pour une intimidatrice, alors qu'elle n'a fait que prendre la défense de Margot. Typique.

– Je vous rejoins dans la classe, nous dit Charlotte en ramassant son sac d'un geste vif.

Pourquoi Sarah-Jade fait-elle tout ça ? Qu'est-ce qu'elle a à gagner à humilier Margot ? Ça fait presque deux semaines que ça dure. Continuer à s'acharner, c'est un peu comme donner un coup de pied à quelqu'un qui est déjà à terre. En quoi Margot la menace-t-elle ?

Entraînant Margot avec moi, j'essaie de contenir ma colère. Je rassure mon amie en lui disant que ce n'est probablement rien – sûrement rien de bon, en tout cas ! – et lui fais promettre à nouveau qu'elle n'ira pas consulter la page. C'est la dernière chose à faire. Ça ne ferait que la mettre à l'envers.

Charlotte est de retour une quinzaine de minutes après le début du cours de français. Elle prend place près de nous.

Dès que madame Languedoc se tourne pour écrire au tableau, quelques têtes se retournent en direction de Margot et la dévisagent. Aussi subtilement que possible, je m'approche d'elle et lui murmure :

– Laisse-toi pas atteindre. On va finir par trouver une solution.

J'espère être convaincante, parce que je ne me crois pas une seule seconde.

Derrière moi, une voix s'élève :

– Madame, je m'excuse de vous déranger, dit Sarah-Jade. Laurianne arrête pas de parler, j'arrive pas à comprendre ce que vous dites à cause d'elle.

Merde !

Et naturellement, la prof se retourne alors que je suis penchée vers Margot.

Sarah-Jade attendait patiemment que je commette une erreur. Elle a choisi son moment, cette harpie. Comment fait-elle pour adopter un ton de voix aussi sirupeux avec la prof ? Elle réussit à lui faire croire qu'elle est sincèrement désolée que je me fasse avertir.

Je la déteste. C'est la fille la plus antipathique que j'ai jamais rencontrée !

– Laurianne. Avais-tu quelque chose que tu voulais partager avec le groupe ?

– Non, madame. Désolée, que je réponds en ravalant ma rage.

Tandis que madame Languedoc poursuit ses analyses grammaticales, je décoche un regard rempli de couteaux à Sarah-Jade, qui me répond avec un sourire plein de malice.

Elle va me faire sortir de mes gonds. Argh ! Si seulement je pouvais mettre la main sur une information incriminante. Une seule petite info compromettante ! C'est tellement écrit dans le ciel que c'est de sa faute !

Depuis que le cours est commencé que ça me démange de savoir ce qu'elle a bien pu inventer cette fois-ci. Je laisse passer cinq minutes. Têtes baissées, tous les élèves de la classe décortiquent une phrase en silence. Madame Languedoc se trouve à l'autre bout de la classe. Discrètement, je sors mon cell de mon sac. D'une main, je continue l'exercice, et de l'autre, je pianote sur l'écran pour accéder à la page.

Le statut est court. Aucune image, seulement une adresse URL. Il est en ligne depuis moins d'une heure et il a récolté une tonne de *likes*, ce qui ne présage rien de bon. D'un coup de pouce, je fais défiler les commentaires. Quelques élèves dénoncent la publication, disent que ce n'est vraiment pas correct, que ça va trop loin, mais leur appel est noyé par la marée de gens qui aiment et qui surenchérissent. « Sexy », « Une vraie salope ! », « Je la prendrais, moi, la *bitch* », « fap ! », « Je la savais pas aussi dégourdie », et le comble : « FHRITP ».

Les abonnés commentent sans aucune gêne. Il y a de plus en plus de noms que je ne connais pas, probablement des élèves qui ne viennent même pas à cette école et qui ne savent même pas qui est Margot.

L'insulte est devenue un jeu, une compétition. C'est à savoir qui sera le plus vulgaire. Les filles ne donnent pas leur place.

N'ont-elles jamais entendu parler de solidarité féminine ?

À reculons, je clique sur l'hyperlien. Je crains de découvrir ce qui se cache derrière. Même si je sais que ce sera terrible, une impulsion malsaine me pousse à aller voir...

Une fenêtre de Chrome remplace celle de Facebook.

Je comprends tout de suite la raison pour laquelle Sarah-Jade a monté un site. Même s'il réagit lentement ou ferme carrément les yeux, Facebook a ses limites. La compagnie aurait fait disparaître l'image, et la page, en moins de deux.

J'ai mal au cœur.

– Madaaame… soupire Sarah-Jade.

« Frak ! » comme dirait Guillaume.

Trop conne. Je me suis vraiment mis les pieds dans les plats. Qu'est-ce que j'avais à sortir mon cell en classe ? C'était certain que Sarah-Jade allait profiter de la première occasion pour me dénoncer. Et moi, j'ai marché droit dans son piège.

Nounoune.

– Madaaame, reprend Sarah-Jade, opérant son fiel. Laurianne pitonne sur son cell sous son bureau, pis j'arrive pas à me concentrer…

Je l'haïs, je l'haïs, je l'haïs, la *bitch* !

Chapitre 2-8

– Comment est-ce que tu fais pour manger autant ? demande Charlotte.

– Comme ça ! réplique Elliot en engouffrant son premier sandwich. Gnap ! Gnap ! Gnap !

Elliot est le roi des sandwichs. Ce midi, il a deux monstres confectionnés à partir d'une baguette. Je ne serais pas étonnée qu'il mange tout. C'est un vrai porc.

– Le secret, c'est l'ordre des ingrédients. Moutarde, jambon, fromage, tomate, laitue, mayo. C'est mathématique. Faites-moi confiance, j'ai exploré toutes les combinaisons. Pis si tu utilises du pain tranché, faut que tu ajoutes la coupe aux variables. Un sandwich rectangulaire ne goûte pas aussi bon qu'un sandwich triangulaire ! dit-il en levant un doigt savant en l'air.

– T'es sérieux ? demande Charlotte.

– Très. Selon mes recherches, du pire au meilleur, c'est : quatre carrés ; ensuite, coupé sur le large ; quatre triangles – avec ou sans croûte, ça n'a pas vraiment d'impact sur la qualité – ; sur la verticale ; en diagonale ; avec une mention spéciale à la coupe asymétrique !

– Hein ?

– Tu coupes sur le large et sur la diagonale. Ça donne deux gros morceaux, un moyen et un minuscule. Celle-là, je la réserve pour les occasions spéciales.

– En tout cas, moi, j'ai pas faim, lui dit Charlotte.

– Moi non plus… soupire Margot.

Idem ici aussi. J'ai bien croqué une carotte, mais les morceaux me roulaient dans la bouche.

Avec un regard réprobateur, madame Languedoc m'a confisqué mon cellulaire, que je devrai aller récupérer au bureau du directeur à la fin de la journée. Je m'attendais à ce qu'elle me fasse la morale devant toute la classe, mais elle a poursuivi son cours comme si rien n'était arrivé.

J'ai honte de m'être fait ainsi punir devant tout le monde. Encore plus d'être tombée dans la toile de Sarah-Jade.

À quelques tables de nous, Sarah-Jade se bidonne. Entourée de sa clique, elle savoure sa victoire. Comme tous les midis, elle est assise sur William, qui ne doit pas dire plus de vingt-cinq mots par jour. Elle lui joue dans les cheveux, les enroulant autour de son doigt.

Zach est évaché de tout son long sur deux chaises, son sac sur une troisième, empêchant ceux qui se cherchent désespérément une place pour dîner de s'asseoir à la table.

Et Noémie se laisse traiter de « petite pute » par sa reine. Au lieu de s'en offusquer, elle rit.

Margot me dit quelque chose, mais avec la cacophonie qui règne le midi à la cafétéria, je ne comprends pas.

– Quoi ?

– Je pense que je vais rentrer chez nous… répète-t-elle.

– Non ! Tu ne peux pas, intervient Charlotte. Si tu fais ça, c'est comme si elle gagnait.

– T'as vu comment on me regarde ?

– Ça va passer. Demain, tout le monde va l'avoir oublié, l'encourage-t-elle.

– Pfff ! Peut-être… Peut-être aussi qu'elle va publier autre chose demain, dit Margot, découragée.

C'est vrai. Il n'y a rien qui empêche Sarah-Jade de poursuivre sa campagne de salissage. De la manière dont je vois ça, il ne nous reste que deux options :

Je tente de la confronter. Je lui dis que j'ai pu *hacker* la page et retracer son adresse IP, et qu'elle dispose d'une dernière chance pour faire disparaître la page avant que je transmette l'information aux autorités. Bref, je lui mens.

Ou

Je vais la voir et déclare forfait, rends les armes, me jette à ses pieds et implore le peu de compassion qui peut rester au fond d'elle.

Le hic, c'est que je n'ai rien pour faire pression sur elle. Elle saura que je bluffe. Et je doute qu'elle ait assez de cœur pour se laisser convaincre qu'elle a gagné.

Je pourrais me rabattre sur une troisième option :

Supprimer la page… et recommencer mon *hack* chaque fois qu'elle réapparaîtra.

Mauvaise idée.

– Margot a raison, que je dis. On a laissé la situation empirer. Il aurait peut-être fallu tuer ça dans l'œuf. J'ai peut-être quelque chose…

Je n'ai pas terminé ma proposition qu'Elliot avale sa dernière bouchée, s'essuie la bouche du revers de la main, se lève et prend une gorgée d'eau.

– OK. C'est assez, dit-il en grimpant sur la table.

– Qu'est-ce que tu fais ? que je lui demande.

– Je prends les choses en main.

– Descends de là ! lui ordonne Charlotte.

Elliot nous ignore.

Quelques têtes se retournent. Des élèves se demandent ce qu'Elliot fait ainsi, debout sur une table, alors que les plus jeunes rient. Le brouhaha s'atténue un peu.

– Votre attention, s'il vous plaît ! !! crie-t-il.

Oh non. Il va accuser Sarah-Jade. Mais on n'a rien contre elle, rien !

Margot se cache le visage dans les mains. Elle en a déjà plus qu'assez d'être le centre d'attention de l'école.

Quelqu'un au loin hurle :

– *Let's go*, Elliot ! Déclare-lui ton amour !

Une partie de la cafétéria s'esclaffe et Elliot est freiné dans son élan. Mais il lève les mains et reprend :

– S'il vous plaît !

Le silence s'impose dans la cafétéria.

Charlotte agrippe le bas du pantalon d'Elliot et tire dessus à répétition pour le convaincre de descendre de la table. Il est encore temps de sauver la face. Je me cale dans ma chaise, espérant me fondre avec le mobilier. Elliot n'est pas vraiment doué pour les grands discours.

– L'heure est grave ! Tout le monde sait que depuis une dizaine de jours, une ignoble page Facebook visant à humilier notre amie Margot fait rage sur internet. Au début, c'était drôle, ça avait l'air inoffensif. Ha ha ha, on se bidonne dans le dos de Margot.

Quelques rires nerveux se font entendre, mais les élèves continuent de l'écouter.

– Je suis à peu près certain que la personne responsable de cette campagne de diffamation est ici présente. Si elle a une once d'humanité, ce dont je doute, elle va supprimer elle-même la page. Mais avec ce qu'elle a publié ce matin...

Dans le coin opposé de la cafétéria, un gars rugit :

– *Oh yeah*, Margot ! Fais-moi mal ! Wouuuu !

Un autre jour, la réplique aurait été désopilante. Pas aujourd'hui. Le cercle rapproché de la grande gueule rit un peu, mais sa blague tombe à plat.

Sarah-Jade est toujours assise sur les cuisses de William. Elle ne réagit pas à l'insinuation d'Elliot, ne cherche pas à se défendre par une expression outrée. Elle continue de sourire, amusée par la situation, et joue dans la toque de William.

– Embraye ! murmure Charlotte à Elliot.

À l'entrée de la cafétéria, deux surveillantes, madame Céline et madame Cécile, font leur entrée, attirées par le silence suspect. En voyant Elliot ainsi perché, elles se dirigent rapidement vers notre table.

– Embraye, Elliot ! répète Charlotte.

– Heu... oui !

Lui aussi vient d'apercevoir les deux femmes en colère. Le sujet du discours ne pèse pas bien lourd dans leur balance. Peu importe qu'il prenne la défense de l'opprimée. Il y a plus grave. Un élève est perché sur une table. Ça vient mettre tous leurs sens en alerte. Voilà pourquoi il leur faut intervenir. Mais comme elles ont choisi le chemin le plus court, celui qui passe au milieu des tables, leur intervention est freinée par toutes les chaises sur lesquelles sont assis les dîneurs. Elliot accélère le débit de son discours :

– Je veux juste vous faire savoir que vous avez jusqu'à cinq heures ce soir pour vous développer une conscience. Parce qu'à cinq heures, je m'en vais sur la page pis je prends des captures d'écran. Je vais noter le nom de tous ceux qui la suivent. Tout ce que vous avez *liké*, tous les commentaires que vous avez laissés... ben je vais en faire un article pour le journal étudiant. On va voir si vous aimez vous retrouver sous les feux de la rampe.

À force de pousser les élèves dans le chemin et de leur intimer l'ordre de se tasser, les deux femmes sont finalement parvenues jusqu'à notre table.

– En bas. Maintenant ! commande madame Cécile, la surveillante en chef.

– Oubliez pas : cinq heures ! C'est tout ! Merci de votre attention, dit-il en mettant un pied sur la chaise.

– Ce n'est pas trop tôt, lui dit la vieille surveillante, le bec pincé. Qu'est-ce qui vous a pris, monsieur Morin ?

– Une bulle au cerveau. Ça me rappelle, je pense que j'ai un rendez-vous avec monsieur Monette.

– Sans blague ? lui rétorque-t-elle.

Elliot se fourre son deuxième sandwich entre les dents et ramasse le restant de son lunch avant de suivre les deux femmes vers le bureau du directeur.

Charlotte, Margot et moi sommes bouche bée.

Elliot a eu une bonne idée. Si on ne peut pas s'attaquer à la source du problème, on peut s'en prendre à ses partisans et tenter de réduire sa portée. C'était loin d'être le discours du siècle, mais ça a son effet. Déjà, je peux voir des élèves sortir leur cell de leur poche. Ça devient subitement moins drôle quand maman et papa risquent d'apprendre ce qu'on a fait.

Chapitre 2-9

Le visage de Sam est figé dans une demi-expression. L'une de ses paupières est fermée, mais l'autre nous laisse voir un œil révulsé. Et sa bouche est déformée. On croirait qu'il cherche à imiter Elvis. L'image est loin d'être flatteuse, plutôt complètement débile !

Je fais ce qui s'impose : je prends une capture d'écran.

– Ha ha ha ! T'es gelé, que je lui annonce.

– Encore ?

– Constate par toi-même !

En un tour de clic, je lui transmets l'image incriminante.

– Ouache !

– Pouahaha ! T'es ben laid ! commente Nico. De toute façon, on peut jouer sans Skype...

– Pas le choix. La connexion est trop mauvaise, dit Sam.

Nous devrons nous en passer. C'est bien pratique pour contourner certains effets du jeu, comme l'évanouissement d'un avatar qui coupe la communication entre les joueurs, par exemple. Pour certains gamers, notre manœuvre, que nous sommes loin d'être les seuls à utiliser, j'en suis sûre, est vue comme une tricherie... mineure, mais une tricherie tout de même. Sérieux, je ne comprends pas pourquoi je n'aurais pas le droit de *skyper* mon meilleur ami parce qu'il habite trop loin alors qu'on peut se parler librement quand on joue côte à côte dans la même pièce. C'est con à la fin.

Enfin... La question ne se pose pas, aujourd'hui. Ça fait dix minutes qu'on tente de lancer un appel et le signal ne passe juste pas. Tant que le jeu est fluide... c'est ça qui compte ! De toute façon, il y a toujours le système de communication du jeu qui nous permettra de nous parler.

Ça fait un bail que Nico a joué avec nous à *Z-Héros*. Il est correct comme joueur. Pas aussi bon que Sam, mais pas mauvais non plus. Sam l'a invité parce qu'il a reçu un code lui donnant accès, à lui et à deux invités, à une mission spéciale. Ce genre de tirage n'est pas inhabituel. J'en ai gagné, il en a gagné, on s'est toujours invités. L'accès est restreint, mais pas exclusif. Il doit y avoir des dizaines, voire des centaines de milliers de joueurs qui ont reçu la même invitation. Donc, ce n'est pas comme si Sam venait de gagner à la loto 6/49, mais je ne vais pas me plaindre non plus que son prix ne soit pas assez unique.

La mission en est une de sauvetage. Nos trois avatars se trouvent dans un petit campement militaire situé à la campagne. « Trop de zeds en ville », a précisé le lieutenant Doucet au cours d'une séquence vidéo. Il ne reste plus qu'une demi-douzaine de soldats, ainsi qu'une dizaine de civils que ceux-là ont pris sous leur aile. Si ce n'était de l'uniforme, il serait impossible de les différencier tant les uns et les autres ont l'air abattus par les mois passés à survivre à la mort rampante.

Avec force *flash-back*, le lieutenant Doucet nous raconte qu'une patrouille en quête de provisions a ramené une femme, la veille.

– Elle s'appelle Lilly. Mes gars l'ont interceptée alors qu'elle tentait de fuir la ville avec sa fille, Alicia. Un petit groupe de zeds les avaient surprises. Dans la confusion, elle a perdu Alicia de vue. Elle allait plonger dans les zeds pour retrouver sa fille. Mes hommes l'ont ramenée ici. Elle veut retourner là où on l'a trouvée… pour récupérer Alicia. Mais je ne peux pas la laisser partir. Elle est trop faible, trop épuisée. Elle se ferait manger toute crue. Je sais ce que c'est que de perdre sa fille…

L'histoire classique.

Quand la fin du monde est à notre porte, la vie devient trop précieuse pour ne pas intervenir.

– Selon elle, sa fille est encore en vie. Elle le sent.

Pourrait-il être plus cliché et nous dire qu'on ne laisse personne derrière ?

– Un soldat ne laisse jamais un camarade derrière les lignes ennemies, ajoute le lieutenant en frappant la table de son poing.

Bingo !

Alicia est devenue la fille de Schrödinger : vivante et morte à la fois. Vivante, elle représente l'espoir que l'humanité peut s'en sortir, qu'elle est assez ingénieuse pour survivre à l'apocalypse. Morte, elle démontre l'acharnement des scénaristes à assassiner leurs personnages, elle n'est qu'une excuse pour rehausser d'un cran le niveau de dégueulasse afin de justifier le prix exorbitant exigé pour le jeu.

Au cours du *briefing* avec le lieutenant, nos avatars se portent volontaires pour aller la sauver. Cette pauvre fille ne servira pas de dîner aux monstres qui errent dans la ville. Pas tant que je suis là.

Le lieutenant nous indique un *pick-up* que nous pourrons utiliser pour la mission de sauvetage et désigne un soldat pour nous accompagner. Il nous faudra nous dépêcher, car l'officier compte lever le campement après cette nuit. Les risques deviennent trop importants. De plus en plus de zeds rôdent dans les parages. Si nous ne sommes pas de retour à temps, il ne nous attendra pas.

Il nous donne aussi des *walkies-talkies*, qui ne serviront à rien, puisque nous pouvons déjà nous parler grâce au système de communication interne du jeu. Grâce à eux, nous pourrons surtout entendre les commentaires du lieutenant nous disant de nous dépêcher et nous répéter qu'il ne nous attendra pas.

À la fin de la rencontre, Sully, l'avatar de Nico, est le plus près du camion. Il ouvre la portière, mais y trouve le soldat déjà assis derrière le volant.

– C'est moi qui conduis! déclare Nico en l'agrippant par l'épaule et en le jetant hors du camion sans ménagement.

– *Shotgun!* ajoute Sam en se précipitant du côté du passager.

Comme si ça faisait une différence.

Je grommelle une insulte dans mon micro et fais grimper Stargrrrl dans la boîte du camion, accompagnée du soldat, qui a déjà oublié l'incident. Celui-ci engage la conversation avec Stargrrrl, répétant ce que le lieutenant nous a dit. Il se nomme Cyril Andres. Je clique rapidement à travers ses répliques pour lui fermer le clapet.

La route est déserte. Nous ne croisons ni joueur ni NPC sur le chemin vers la ville. Partout autour, il n'y a que des champs de maïs qui colorent le paysage en jaune. Les arbres ont eux aussi pris une teinte orangée. Cette Terre a beau être virtuelle, l'hiver s'en vient ici aussi.

Après quelques minutes de route, je demande :

– C'est encore loin, Grand Schtroumpf ?

– Non, non, plus très loin, me répond Nico.

– C'est encore loin, Grand Schtroumpf ? demande Sam, quelques secondes plus tard.

– Non, non, plus très loin, répète notre chauffeur.

Sam et moi nous faisons un clin d'œil à travers nos caméras respectives et disons simultanément :

– C'est encore loin, Grand Schtroumpf ?

– Oui ! C'est très, très loin ! explose Nico.

Le ciel grisâtre rend l'atmosphère glauque. Les rares maisons que l'on croise renforcent cette impression. Leurs habitants ont quitté les lieux précipitamment. L'une d'elles a été réduite en cendres. Un léger brouillard flotte devant nous. Nico ne roule pas trop vite. S'il y a un obstacle sur la route, il aura le temps de l'apercevoir.

Tout est silence, il n'y a que le moteur du *pick-up* pour venir perturber la tranquillité. Nous ne parlons pas vraiment. Il y a un éléphant dans la pièce.

Je vois à quel point Nico a le goût de me poser LA question. Ça le démange depuis tantôt. C'est un des inconvénients d'avoir une caméra pointée sur le visage. Toutes ses mimiques, je les aperçois. J'imagine qu'il fallait s'y attendre. Après tout, c'est lui qui nous a pris sur le fait dans la salle de bain d'Oli.

– Piiis ? demande-t-il enfin après un long moment d'hésitation.

Son ton de voix se veut désinvolte, mais un tressaillement me dit qu'il va à la pêche aux infos. Sam s'enfonce subtilement de honte dans son siège. Le connaissant, il a dû être avare de commentaires pour que Nico vienne nous relancer en pleine partie. Il n'avait sûrement pas pensé que notre ami jouerait au journaliste à potins.

– Pis quoi ?

– Ben là. Faut vraiment que je le dise ? J'étais là, je vous ai vus *frencher*. Pis ? Qu'est-ce qui arrive avec vous deux ? Est-ce que c'est officiel ?

– C'est pas de tes affaires !

– *Come on*, Laurie ! T'as le droit à ton jardin secret, mais tu ne peux pas me reprocher de vouloir en savoir plus sur ce que pense le *kick* de mon ami Sam.

Je n'y avais jamais pensé sous cet angle. Je suis le *kick* de quelqu'un. De l'entendre parler de moi ainsi me vire l'estomac à l'envers. Mes mains sont moites, ma salive passe de travers, mon pouls s'accélère et une sensation de brûlure m'envahit le corps. Une chance que ce n'est pas moi qui conduis, je nous aurais fait visiter le fossé.

Il y a aussi une caméra pointée sur moi. Sam a sûrement vu le rouge me monter aux joues. Du coin de l'œil, je le vois qui m'observe, qui cherche à le faire sans que je le remarque.

C'est plutôt *cute*, ce regard de biais qu'il a.

Ce n'est pas avec Nico que j'ai envie d'en parler. Armée de ma meilleure *poker face*, je lui dis :

– Est-ce qu'on peut se concentrer sur le jeu ? Je t'enverrai un texto avant qu'on modifie nos statuts Facebook, OK ?

Nico grogne sa déception de n'avoir pu me tirer les vers du nez.

Je fixe ma caméra. D'un seul regard, je fais comprendre à Sam que ce n'était peut-être pas la meilleure idée du monde d'inviter Nico à jouer avec nous. Son expression me dit que, sur ce sujet, nous sommes d'accord.

Bien.

Le camion ralentit.

– Qu'est-ce qu'il y a ? que je demande.

– Des zeds sur la route. Mais ils sont déjà morts, précise Nico en les contournant. Gardez les yeux ouverts.

J'empoigne ma souris un peu plus fermement. À mes côtés, Cyril reste de glace. Quelques mètres plus loin, je perçois un mouvement dans une maison isolée. Attiré par le vrombissement du moteur, un zed en émerge. Leurs mouvements saccadés sont facilement reconnaissables. Aucun risque pour que l'on confonde humain et zed. Le mort tourne la tête vers nous, décide de nous suivre, mais nous nous éloignons trop rapidement. Il ne représente pas une menace. Je ne prends pas non plus la peine de l'abattre. Nos munitions sont comptées.

Le danger, lorsqu'on se promène ainsi, c'est de tomber sur un groupe trop important qui nous bloquerait le chemin. Pire, de rouler sur tant de corps que le camion se retrouverait coincé dans la bouillie.

Urgh...

– Il y en a un autre, dit notre chauffeur. Je m'en occupe.

Nico accélère et déplace le camion au milieu de la route, visant le mort-vivant. La collision est brutale. Sous l'impact, le zed explose dans un nuage de sang qui recouvre le pare-brise du camion. Un bon coup d'essuie-glace le nettoie des viscères.

– Dégueu !

– Yark !

J'entends un claquement distant. Au loin derrière nous, une nuée d'oiseaux s'envolent d'un arbre.

– Avez-vous enten... que j'essaie de dire aux gars, mais Nico me coupe.

– Regardez devant.

Des dizaines de zeds sont éparpillés sur le sol, immobiles. Morts. Pour de bon, cette fois. Ils ne se relèveront plus. Pourtant, la zone semble inhabitée. Y a-t-il des survivants dans les parages ? Est-ce que quelqu'un est venu ici pour nettoyer le territoire ? Il y a trop de corps pour que ce soit l'œuvre d'un guerrier solitaire...

Au moment où j'entends un moteur rugir derrière nous, les balles percutent notre véhicule, faisant éclater les vitres et transperçant la carrosserie. Deux Humvee, des véhicules militaires tout-terrain de la famille des Hummer, font leur apparition à une vingtaine de mètres sur notre six heures.

Comment se fait-il que je ne les aie pas entendus ?

Le premier est muni d'une mitrailleuse lourde de calibre 50 sur son toit, un équipement standard, tandis que le second est équipé d'un canon rotatif.

Nous ne sommes pas de taille.

Nico zigzague, évite quelques rôdeurs encore debout en espérant qu'ils ralentissent nos assaillants. Il met la pédale au tapis, le moteur gronde, mais le *pick-up* n'a pas la puissance pour leur échapper.

Les balles sifflent et font tout éclater sur leur passage. Un pneu éclate. Nico perd le contrôle. Le camion dérape. Les roues glissent sur le pavé. Le camion se dirige vers le fossé. Puis ce sont les tonneaux.

Je vois le ciel et la terre alterner rapidement, je devine le *pick-up* qui s'éloigne de mon avatar – ou est-ce l'inverse ? –, puis Stargrrrl frappe le sol lourdement. Mon écran hurle de rouge avant de virer au noir.

Je clique frénétiquement sur le bouton de ma souris et appuie à plusieurs reprises sur la barre d'espacement pour réveiller Stargrrrl, sachant très bien que ça ne sert à rien. Ce n'est pas un ascenseur.

Puis les images reviennent, apparaissant tout d'abord par flash.

Stargrrrl ouvre les yeux. Elle se relève péniblement. Elle a été catapultée dans un champ de maïs. Un râle se fait entendre. Stargrrrl se retourne, vacille, tient bon. Un zed se dirige vers elle, bras tendus, gueule ouverte. Elle tire un couteau de son étui, agrippe le monstre par le col de sa chemise et lui enfonce la lame dans la tempe. Il s'effondre dans la boue.

Des tirs se font entendre. Un combat fait rage.

– Sam ? Nico ?

Les fenêtres de communication sont noires. Nous sommes trop loin pour nous parler. L'image à mon écran est grise et floue. Instinctivement, je plisse les yeux. Non. C'est le brouillard qui s'est fait plus dense. Je ne sais pas où est la route, où se trouvent mes compagnons. Le vol plané m'a fait perdre mes repères.

– Sam ? Est-ce que tu m'entends ? Nico ?

Rien. Que du vide.

– Cyril ?

Comme s'il allait me répondre.

Au travers du brouillard, je vois des silhouettes se déplacer entre les plants de blé d'Inde. Difficile de dire si ce sont les hommes qui viennent de nous attaquer qui cherchent à achever Stargrrrl ou des zeds qui ont été attirés par l'accident. Dans un cas comme dans l'autre, il est préférable pour moi de prendre la fuite.

Stargrrrl est blessée, elle tient à peine debout. Elle ne servira à rien dans un combat rapproché si elle ne panse pas ses blessures.

J'espère que Sam et Nico s'en tireront. La mission prime sur tout. Il faut sauver Alicia.

Une main sur les côtes, Stargrrrl court dans le champ, mettant le plus de distance possible entre elle et les attaquants.

– Ici ! crie un soldat.

Puis, des balles fauchent les plants de maïs. OK. Ce ne sont pas des zeds.

Ce que je ne donnerais pas pour une grenade en ce moment ! Ça leur ferait un beau cadeau à récolter. Tant pis.

La petite taille de mon avatar est à son avantage. Stargrrrl se faufile dans les rangées de plants et flotte sur la terre boueuse, tel Legolas sur la neige des monts Brumeux. Je ne m'arrête pas, même lorsque je croise des zeds. Ceux-ci ont à peine le temps de me remarquer. Au pire, ils me suivent et je devrai m'en débarrasser plus tard; au mieux, ils ralentiront ceux qui me traquent.

Je rejoins une voie ferrée. Une minute. Je me donne une minute pour courir entre les rails avant de retourner me planquer dans le champ. Les plants me serviront de camouflage. À la vingtième seconde, je change d'idée et me précipite à l'abri. Colt en main, je m'accroupis et attends.

Trois figures sortent des rangées de blé d'Inde, trois soldats tout de noir vêtus et équipés jusqu'aux dents. Ils observent les environs. Semblent se demander de quel côté Stargrrrl aurait pu partir.

L'un d'eux fait quelques pas dans ma direction. Il ne me voit pas. Mes vêtements sales se fondent dans la boue, m'aident à me soustraire à sa vue. Du mieux que je le peux, je pointe mon arme sur la tête de l'avatar. J'attendrai au dernier moment pour faire feu. Je n'aurai qu'une seule chance. Ces gars-là sont vêtus de gilets pare-balles. S'il est assez près, je pourrai l'atteindre là où il est le plus vulnérable : entre les deux yeux.

Un des deux autres soldats appelle le premier, celui qui s'approche dangereusement, et lui fait signe de revenir. Le soldat tourne enfin les talons. Les trois avatars disparaissent dans le champ pour retourner d'où ils sont venus.

Chapitre 2-10

Dès que les trois avatars ont disparu dans le champ et que je suis certaine qu'ils ne peuvent plus me voir, je remonte sur les rails et me dirige vers la ville au pas de course. Lorsque je suis assez loin, j'utilise un *med kit* et fait boire de l'eau à Stargrrrl. Son état se stabilise aussitôt; ses points de vie reviennent presque au maximum.

Sur le chemin de fer, Stargrrrl progresse rapidement en marchant sur les traverses. La voie est libre. Et je serai en mesure d'apercevoir les menaces avant de me faire surprendre.

Stargrrrl est chanceuse d'être encore en vie. Elle aurait bien pu y passer, ou se faire mordre pendant qu'elle était évanouie. Sans compter ces soldats à sa poursuite. Qu'elle soit toujours en vie me conforte dans ma décision. Avec ce brouillard, j'avais plus de chance de tomber sur nos assaillants ou sur des zeds que sur mes camarades.

Je prends quelques secondes et d'une main pianote un message sur mon cell :

Ça va, vous deux ?

Oui. Toi ?

#1.

T'es où ?

Voie ferrée. Vous?

On a traversé la rivière à la nage.

Pour vrai?

Cyril?

Qui?

Le NPC.

Toujours vivant!

Impressionnant.

Sans Skype et forcée de taper mes messages d'un pouce, la communication est plus complexe. Nous nous entendons pour essayer de nous retrouver au carrefour où Lilly a vu sa fille pour la dernière fois. D'après mes calculs, j'ai peut-être une dizaine de minutes d'avance sur Nico, Sam et Cyril. Je pourrai prendre le temps de sécuriser le périmètre avant leur arrivée.

On dirait bien que je vais jouer seule pendant un petit moment. Aussi bien me trouver une musique de circonstance. Je clique sur iTunes et trouve la trame d'*Aliens*. Pas l'original, la suite, où Ripley retourne sur LV-426 avec les Marines. Juste assez stressant pour l'instant. Et si je suis chanceuse, la sixième plage va embarquer quand il y aura de l'action.

Le long de la route, j'entends les râles de nombreux zeds qui rôdent dans les champs. Parfois, l'un d'eux m'aperçoit, mais je passe mon chemin. Mieux vaut ne pas m'attarder. De temps en temps, je jette un coup d'œil par-dessus mon épaule afin de m'assurer que je ne suis pas suivie.

L'attaque que nous venons de subir me reste en tête. Ce n'était pas des NPC, ça, c'est assez clair. Qui sont ces joueurs ? Ils étaient vraiment trop bien équipés... On ne trouve pas deux Humvee par hasard sur son chemin. Avaient-ils pour mission de nous capturer, de nous descendre ? Ce qui serait plutôt *cool*... Pas de nous descendre, mais comme objectif, je veux dire. Est-ce possible qu'ils aient eu un tel objectif de mission ? Je n'ai jamais entendu parler de telles missions concurrentes. L'idée est intéressante, je trouve.

Le chemin de fer passe en plein cœur d'un quartier résidentiel. Les cours donnent sur la voie. Toutes sont clôturées et les palissades sont trop hautes pour être escaladées, ce qui transforme mon chemin en long tunnel.

Hum...

Avant de m'y aventurer, je consulte la carte que le lieutenant nous a remise. La voie ferrée me mène assez près du point de rendez-vous indiqué par Lilly. Je pense même pouvoir gagner du temps sur le trajet original. Si je suis chanceuse, je pourrais retrouver la fille avant l'arrivée de mes compagnons. Peu de chances que ça arrive.

Cinq minutes et une quinzaine de zeds évités plus tard, Stargrrrl tombe sur un obstacle de taille.

Un train de marchandises a déraillé. Les wagons bloquent complètement la voie. Il m'est tout aussi impossible de les contourner que de passer par-dessus. Des zeds bloqués dans les wagons ont senti ma présence et leurs râles ne signifient rien de bon pour moi. Leurs graillonnements ont le pouvoir d'attirer les membres de leur espèce. Il me faut revenir sur mes pas au plus vite et trouver un autre trajet avant que ce cul-de-sac ne soit infesté. Heureusement, à moins d'un kilomètre, un boulevard passe sous le chemin de fer.

Il n'y a, en bordure du viaduc, qu'un grillage métallique pour empêcher les indésirables de venir jouer sur la voie ferrée. Je l'escalade rapidement, fais quelques pas sur le mur de béton et me laisse glisser le long de celui-ci pour atterrir entre deux voitures.

La scène est plus inquiétante qu'elle ne l'était vue d'en haut. On dirait que je me suis retrouvée dans une série télé à grand déploiement. À gauche comme à droite, de grands murs de béton se dressent. Les voies du boulevard sont encombrées de voitures. Un sentiment de claustrophobie monte en moi. Quelque chose a forcé son chemin au travers du bouchon, un tank ou un bulldozer. Les véhicules ont été poussés les uns contre les autres. Un autobus garé de biais bloque partiellement une voie. Trop imposant pour être tassé, on lui a simplement arraché une partie de son habitacle. À vue de nez, les voitures sont vides. Du moins, je l'espère. Dans le doute, je ne fais aucun bruit.

Je vérifie la carte, trouve mes repères et me dirige vers le nord sans faire un seul bruit. Encore un kilomètre à marcher. Mais à l'intersection suivante, je vois une fille. C'est elle ! Elle a à peu près mon âge, est habillée d'un jean, d'un t-shirt gris, d'un manteau, et transporte un sac à dos.

– Hé ! Par ici ! que je lui crie, avant de me rappeler qu'elle n'est qu'un personnage.

Elle s'enfuit. Elle court et trébuche au milieu de la rue. À ses trousses, il y a une dizaine de zeds affamés. Ils se rapprochent dangereusement d'elle. Sam et Nico ne sont toujours pas là. Et il nous est impossible de communiquer. Je ne peux me permettre de les attendre. Je cours vers la fille, tire sur le zed le plus proche, rate la cible, mais l'abats avec la seconde balle.

Le bruit résonne dans la ville. Excite les monstres. D'autres zeds sortent de leur cachette.

Meeeerde.

J'aide Alicia à se relever et tire sur un deuxième zed. À bout portant, la balle de mon Colt Python 357 a l'effet d'une bombe et lui emporte la tête dans un vent de violence.

Un choix de deux répliques apparaît en vert sous Alicia. Je clique sur le second.

– Alicia ! C'est ta mère qui m'a envoyée, dit Stargrrrl. Viens avec moi.

– Ma mère ? Est-ce qu'elle est vivante ? me répond Alicia.

– Elle va bien. Il faut sortir d'ici et rejoindre notre campement.

– Qui êtes-vous ? demande-t-elle.

– Stargrrrl.

Le serveur bégaie. L'orthographe du nom de mon avatar lui donne du fil à retordre.

– Comment m'avez-vous trouvée ? poursuit Alicia.

– C'est tellement pas le moment ! que je ne peux m'empêcher de dire dans mon micro. Sérieux, Alicia, tu as l'air d'être bien fine. Je ne sais pas si tu as remarqué, mais il y a de plus en plus de zeds après nous. Alors l'inquisition, ça peut peut-être attendre à quand on aura trouvé une planque.

Nous courons dans la rue pour nous éloigner des zeds. Alors que je glisse sur le capot d'une voiture, Alicia prend le temps de la contourner, ce qui permet aux zeds de se rapprocher.

Je n'ai pas assez de balles pour me permettre de tirer dans la foule de morts-vivants et ils sont trop nombreux pour que je les affronte au corps à corps. Si on n'arrive pas à fuir, il faudra trouver un endroit où nous planquer, le temps que Sam et Nico nous rejoignent.

J'évite les maisons en rangée qui ont un escalier menant à la porte principale. Nous perdrions trop de temps à chercher une porte déverrouillée. Celles donnant au rez-de-chaussée que je me risque à vérifier sont toutes fermées à clé.

Un peu plus loin dans la rue, des autopatrouilles sont disposées de manière à former un barrage. Pas le choix. C'est ici que ça va se passer.

Alicia pleure à côté de moi. Probablement à cause de la proximité des zeds et du risque qu'ils nous bouffent les entrailles. Je dois continuellement cliquer sur le personnage pour qu'il reste à mes côtés. Pas étonnant que sa mère l'ait perdue de vue. Je déplace mon curseur sur elle, mais aucune option pour la rassurer n'apparaît.

Dans la fenêtre de mon inventaire, je saisis le *walkie-talkie* que le lieutenant m'a remis et le plonge dans le sac à dos de la jeune fille. Si la pauvre Alicia se perd encore, peut-être qu'on pourra communiquer avec elle. Je la pousse, la force à franchir le barrage et lui ordonne de se mettre à l'abri en petit bonhomme derrière une des autopatrouilles. Les zeds, eux, ne pourront pas les contourner. Si je suis chanceuse, ils seront aussi trop stupides pour passer par-dessus elles.

– Allez, Sam ! Dépêche-toi...

La fenêtre de communication est toujours aussi noire que le cœur de Cygnus X-1.

Urgh.

BANG ! BANG ! BANG ! BANG ! CLIC.

Dans le mille ! Quatre monstres tombent avant que mon revolver ne se mette à cliquer, m'indiquant que je dois le recharger. Trop long. Je décide plutôt de prendre un autre fusil, mais appuie sur la mauvaise touche. Plutôt qu'un Glock, c'est mon Spalding qui m'apparaît entre les mains.

Le bâton de baseball se révèle un excellent choix. Facile à manier, léger (donc rapide) et efficace, le métal tinte chaque fois qu'il rencontre un crâne ou une mâchoire.

Stargrrrl s'épuise. La quantité de zeds ne paraît pas vouloir diminuer.

Entre deux immeubles sur le côté, il y a une ruelle un peu sombre dans laquelle on peut voir un escalier de service accroché à l'édifice.

– Par ici, que je dis à Alicia. Les voitures retiendront les zeds.

Je cours, mais rendue à l'escalier, je me rends compte qu'Alicia est figée sur place. Est-elle paralysée par la peur ou est-ce du *lag* provenant des serveurs ?

Argh ! Va-t-il falloir que je la prenne par la main ?

Le scénario est bien pire que je ne l'avais imaginé. Avant que je sorte de la ruelle, deux Humvee couleur beige, les mêmes que ceux qui nous ont attaqués plutôt, arrivent en grondant sur la scène. L'un à côté de l'autre, ils se mettent à tirer, l'un avec sa mitrailleuse lourde, l'autre avec son canon rotatif, sur les zeds. Les sacs de chair ambulants se font déchiqueter par les projectiles.

Lorsque les canons se taisent enfin, les portières s'ouvrent et des soldats en équipement tactique font le ménage, achevant les quelques zeds qui bougent encore.

De ma position, je clique furieusement sur Alicia pour qu'elle me suive, sans succès; elle est trop loin pour réagir. Je laisse échapper une série de jurons que je répète trois fois en alternant la position de chacun des termes pour tester leur efficacité.

L'erreur.

Mon micro était ouvert.

Un des soldats se retourne vers moi.

Je retiens l'envie de sacrer à nouveau et prends plutôt mes jambes à mon cou. J'escalade l'escalier ! Celui-ci m'offre une protection anormalement efficace aux tirs du soldat. Il y a un véritable feu d'artifice sur la structure métallique, mais je ne perds aucun point de vie.

Ha ha !

Le soldat renonce à me suivre sur le toit de l'immeuble, fait demi-tour et entraîne Alicia avec lui. Ses copains et lui rembarquent dans leurs véhicules militaires blindés, et repartent sans s'embarrasser des zeds qui marchent vers eux. Un des deux chauffeurs se permet même un coup de klaxon.

Petit comique.

Tout s'en va à vau-l'eau depuis qu'on a reçu notre ordre de mission. Mieux vaut que j'essaie de me rendre au point de rendez-vous avant de me retrouver prise sur ce toit. Je prends trois secondes pour recharger mon Colt Python. On n'est jamais trop prudente.

Je résiste à la tentation de prendre le chemin le plus court, celui qui vient d'être nettoyé par ces soldats, pour deux raisons :

- *les zeds qui ont entendu le bruit vont inévitablement envahir la place d'ici peu;*
- *je suspecte un piège.*

Ces soldats semblent m'en vouloir un peu trop. L'un d'eux est peut-être tapi dans l'ombre, un peu plus loin, attendant de me voir sortir de ma cachette pour m'abattre. Comme je n'ai pas de fusil de *sniper* pour m'occuper de lui, la voie des airs me semble préférable.

Il y a probablement un escalier de service sur le prochain immeuble. Le hic, c'est qu'il y a aussi un bon trois mètres qui séparent l'édifice où Stargrrrl se trouve du suivant, et dix mètres entre le toit et l'asphalte.

En gros, je n'ai qu'une seule chance d'atteindre l'autre immeuble. Yé.

Sainte-Trinity, veillez sur moi !

Stargrrrl recule pour prendre son élan. Devant mon écran, je me croise les doigts pour ne pas qu'elle s'enfarge dans les derniers mètres, et la fais courir aussi vite qu'elle peut. Lorsqu'elle met un pied sur la saillie du toit, je la fais sauter et laisse mon doigt sur le bouton. Pas que ça change quelque chose, mais sait-on jamais. Stargrrrl s'élève dans les airs, court dans le vide. Je retiens ma respiration. Mon cœur saute un battement. À dix mètres sous elle, je peux apercevoir un zombie solitaire qui déambule à la recherche de chair à croquer. L'autre toit semble encore si loin. Mon avatar se prend la saillie directement dans la poitrine. Elle empoigne le rebord, se hisse sur le toit. Sauve.

Ouf !

Comme dirait Sam : « Ça, c'était épique ! »

J'espère simplement que je n'aurai jamais à faire ça dans la vraie vie.

Pendant le saut, je jure que j'ai senti les serveurs ralentir le débit des images. On veut que j'aie une crise cardiaque ou quoi ? Et pourquoi la mission n'a-t-elle pas été déclarée un échec ?

Clairement, ce n'est pas notre meilleure partie. Mince consolation, nous sommes toujours vivants. C'est plus un coup de chance. Nous sommes isolés les uns des autres, je n'ai aucune idée d'où se trouvent mes coéquipiers, et nous avons perdu... non, *j'ai* perdu Alicia, notre objectif de mission, aux mains d'une faction rivale.

Nous allons être déconnectés d'un moment à l'autre. À moins qu'il ne faille retourner au campement pour rendre compte de notre échec.

De retour sur le plancher des vaches (enfin !), je contourne le pâté d'immeubles et débouche sur le boulevard qui me ramènera à la voie ferrée. Quelques zeds traînent dans le coin.

Sois vive, Laurianne. Traîne pas et ça va aller.

Plus facile à dire qu'à faire. Mais bon.

D'un pas rapide, je traverse le carrefour et me rends sous le viaduc de la voie ferrée, là où les voitures sont empilées les unes sur les autres. J'ignore les morts qui se retournent sur mon passage. Ils peuvent bien me suivre, si ça leur tente. Dans une minute, je serai hors d'atteinte.

De retour dans le tunnel routier, il me faut escalader le mur de béton de trois mètres de haut pour atteindre le viaduc. De là, je pourrai grimper à la clôture de métal, l'enjamber et retomber sur la voie ferrée. Je verrai ensuite quel est le meilleur chemin pour rejoindre Sam et Nico.

Pourquoi me suis-je imaginé que mon exfiltration irait comme sur des roulettes ? Cette mission déraille depuis le premier instant où nous avons embarqué dans le *pick-up*. Normal que ça se poursuive.

Des zeds ! Des zeds entre les voitures. Et ceux qui me suivaient me bloquent maintenant la sortie. Il me faut absolument sortir de ce creuset.

La paroi est bien plus lisse que je ne le croyais. Stargrrrl n'arrive pas à trouver de points d'appui pour grimper. Les voitures sont trop éloignées du mur pour que je puisse sauter de leur capot. Mais pas l'autobus. La voilà, ma sortie !

Colt en main, Stargrrrl court vers l'autobus bleu et blanc et pulvérise un zed qui croise sa route. La détonation réveille ses congénères. Leurs râles s'élèvent, me glacent le sang. Le bruit de leurs pas se fait plus intense.

Stargrrrl se glisse à l'intérieur de l'autobus et referme la porte en accordéon derrière elle. Ça ne les arrêtera pas longtemps. Ils n'ont qu'à pousser dessus – ce qu'ils font déjà – pour l'ouvrir. Trop maladroits, quand l'un parvient à l'ouvrir, un autre la referme.

De chaque côté, les zeds donnent des coups dans les fenêtres.

Une trappe de ventilation est située dans le toit de l'autobus municipal. C'est par là que je vais passer. Je déplace mon curseur sur elle, mais rien ne se produit quand je clique dessus. Plan B. Stargrrrl range son revolver. En se tenant aux barres de métal, elle arrive à envoyer deux bons coups de pied à la verticale pour faire sauter le couvercle, puis se hisse sur le toit de l'autobus avant de souffler un peu.

Il ne me reste qu'à reproduire le miracle de tantôt, et Stargrrrl sera libre. Ça devrait être moins compliqué. Comme c'est moins haut, je n'ai pas le vertige pour mon avatar, et la distance séparant l'autobus du mur est beaucoup moins grande que lors de ma voltige précédente.

Je m'élance.

Toutefois, la surface métallique de l'autobus ne permet pas à Stargrrrl de bondir aussi loin. Son saut manque d'impulsion. Stargrrrl s'écrase sur la surface de béton. C'est à peine si ses doigts arrivent à s'accrocher au rebord. Je tente de la hisser, mais quelqu'un, quelque chose la retient. Un zed en complet-cravate se trouve sous elle et retient sa botte. Il tire.

– Aaaaaaaargh ! crions-nous, le zed et moi.

Les doigts de Stargrrrl glissent, ne tiennent plus. Elle chute. Le zed rampe sur elle pour mieux la déguster.

Je crie de plus belle dans mon micro.

– Enlève-toi ! Mais enlève-toi !

D'une main, j'arrive à tenir sa gueule dégoulinante à distance, de l'autre je saisis mon Colt. Alors que je m'apprête à viser le zed en complet-cravate, un deuxième apparaît derrière lui. Instinctivement, je vise le second et lui tire une balle entre les deux yeux. Il tombe sur nous et me fait échapper mon revolver. Je tends le bras, mais le Colt est hors de portée.

Il me faut une arme, et vite !

Couchée ainsi sur le dos, je n'arrive pas à saisir mon bâton de baseball. Je tape sur les touches numériques. La première arme à réagir, c'est mon couteau. Bon choix. Je le plante aussitôt dans la tempe du banquier, qui cesse de bouger et s'affaisse sur moi, expirant son dernier râle dans mes oreilles.

Ark…

Avec tous ces zeds autour, vais-je devoir faire une Glenn de moi-même et ramper sous cet autobus ? Combien de temps vais-je devoir rester là ? Ce n'est pas garanti que ça va fonctionner. Et il va bien falloir que je me déconnecte de cette partie à un moment donné.

Soudain, j'entends de nombreux coups de feu. Les râles reprennent de plus belle. De ma position, je vois deux têtes de zeds éclater sous les balles.

Oh non… Oh non, oh non, oh non, oh non, oh non !

Je le savais. Je le savais. Les soldats sont ici. Ils m'ont suivie. J'ai vraiment été conne. Au lieu de vouloir sauver Alicia toute seule, j'aurais dû retrouver Sam et Nico. À cause de ma tête de cochon, non seulement on va subir un échec de mission, mais en plus, Stargrrrl va se faire buter parce que je me suis retrouvée dans cette situation ridicule. Il faut que je me cache, et viiiiite !

J'essaie de dégager Stargrrrl du zed couché sur elle, mais le corps mort est lourd et difficile à bouger. Les tirs cessent. Des pas se rapprochent.

Dans le contre-jour, une figure apparaît au-dessus de moi.

Chapitre 2-11

– *Hey, girl !* dit Sam avec un accent terrible. Tu t'es ennuyée ?

Sam2dePique et Sully dégagent les zeds qui m'empêchaient de me redresser. L'avatar de mon meilleur ami tend la main à Stargrrrl. Un poids numérique invisible vient de disparaître de mes épaules. Je suis soulagée.

À l'écran, le visage de mes amis est réapparu dans les fenêtres de communication. Je ne peux m'empêcher de leur sourire à pleines dents.

– Vous n'avez pas idée à quel point je suis contente de vous voir. Même toi, Cyril, que j'ajoute en donnant une bine virtuelle au soldat.

– Coudonc, Laurie, qu'est-ce qui s'est passé ici ? me demande Nico.

– Juste une autre journée typique dans l'apocalypse zombie...

Par où commencer ? Par le fait que je suis une idiote ? Que je ne les ai pas attendus parce que j'étais trop confiante ? Qu'au fond de moi, je ne faisais pas confiance à Cyril, qui n'est pas si nul et qui a réussi à survivre jusqu'ici ?

Avant que je puisse faire la liste de mes plus récentes erreurs, Sam me dit :

– Savais-tu ça, toi, que Nico ne savait pas lire une carte ?

– Oh, arrête, *man*, répond l'accusé. C'est pas si grave.

– Ça fait une quinzaine de minutes qu'on tourne en rond parce que môssieur Nico, il s'est gouré. Deux beaux champions qui font du tourisme dans une zone infectée ! Au moins, il ne se trompe pas quand on lui demande son nom, raille Sam.

– La carte était pas du bon bord ! se défend Nico. Avec la rivière, c'était mélangeant. C'était pas clair, OK ? Tout le monde aurait pu se tromper. L'important, c'est qu'on soit enfin arrivés. On va pouvoir trouver la fille et la ramener au campement.

– On y va ? me demande Sam à l'écran.

– Ouais… À propos de ça, les gars… J'ai un peu gaffé, que je leur avoue.

Sous leurs regards interrogateurs, je leur explique mes mésaventures depuis l'attaque sur notre *pick-up* : la désorientation de Stargrrrl, notre séparation, ma fuite dans les champs de maïs, l'arrivée en ville jusqu'au moment où j'ai reconnu notre objectif de mission se faire poursuivre par un groupe de zeds.

– C'était une mission à trois, quatre avec Cyril, et au lieu de suivre le plan et de vous attendre, j'ai décidé d'accomplir la mission toute seule. Si Alicia n'avait pas été kidnappée par des soldats, elle serait morte à l'heure qu'il est. Dévorée par ma faute.

Sam est le premier à réagir à mon aveu.

– T'exagères, Laurie. C'est pas comme si tu allais la croquer toi-même. De toute façon, elle n'est pas encore morte, sinon on le saurait. À ce que je sache, la mission est encore active. Et puis, tu pensais bien faire.

– Comme dit ton *chum* ! ajoute Nico, ce qui lui vaut une taloche bien réelle derrière la tête de la part de mon « chum ». Ayoye ! C'est une blague ! T'es ben susceptible...

– Qu'est-ce qu'on fait ? lance Sam.

– Je pense que j'ai un moyen de la retrouver. Juste avant qu'elle se fasse enlever, j'ai caché mon *walkie-talkie* dans son sac à dos.

– Pourquoi ? demande Nico. On peut même pas les utiliser, leurs *walkies-talkies*. Il n'y a que le lieutenant qui nous fait des rapports d'étape et qui nous rappelle de nous grouiller. C'est gossant. J'ai mis le mien en sourdine.

– Je sais ! s'exclame Sam. Laurie pense pouvoir retracer son émetteur et obtenir les coordonnées de sa position en triangulant la puissance du signal ! Si tu réussis ça, Laurie, t'es vraiment *hot* !

– Coudonc, crois-tu qu'on s'est téléportés dans un épisode de *Star Trek* ? C'est juste un *walkie-talkie*. Mon idée est bien plus simple que ça. En tant que joueurs, on ne peut pas les utiliser entre nous. Vrai ? Bon. Mais chaque fois qu'on a un *walkie-talkie*, c'est pour qu'un NPC nous transmette de l'information. Ou bien pour demander des renforts.

Les gars me regardent à travers leur caméra, essayant de suivre le fil de ma pensée. Je suis un peu surprise que Sam n'ait pas deviné où je m'en vais avec ça.

– Donc… dis-je en espérant que ça leur serve d'eurêka.

– Donc ? répète Nico.

– Alicia, c'est une NPC, elle aussi.

– Ah ! Ben oui ! fait Sam en se tapant le front. Enfin.

– Oui… Et… ? dit Nico, qui ne comprend toujours pas.

– Fais un effort. Ça fait une heure que j'explique que les *walkies-talkies* servent à parler aux NPC. On pourrait genre essayer de lui demander où elle se trouve ?

– Ahhhhh ! C'est pas faux.

Mon plan – plutôt simple et qui risque de tomber à l'eau si ma théorie se révèle être fausse – est de revenir sur nos pas jusqu'à l'endroit où nous nous sommes fait attaquer. Je crois que nous n'avons pas été assez attentifs sur la route. Soit on a croisé leur base, soit on a raté un chemin de campagne qui mène à leur planque.

Je l'avoue. C'est loin d'être mon meilleur plan. Il est plutôt bancal. Mais c'est le seul qu'on a.

– Allons-y ! déclare Sam en me faisant un clin d'œil.

OK. C'était subtil, je le reconnais. Du genre très *inside*. Surtout que Sam n'est pas un grand fan du *Docteur*. S'il me cite une de ses répliques les plus célèbres, c'est qu'il m'envoie un signe. Je le prends comme une fleur et lui rends un sourire complice. J'en oublie la caméra. Ce clin d'œil, je ne suis pas la seule à l'avoir remarqué.

– Argh. Stop ! *Time out !* fait Nico. Sérieux, vous êtes pathétiques. OK. Soit vous êtes un couple, soit vous l'êtes pas. Mais arrêtez de niaiser, s'il vous plaît ! Surtout si je suis dans la même pièce... ben genre. Vous comprenez.

Sans zeds dans le tunnel routier, nous arrivons à escalader le mur de béton, même Cyril. En un rien de temps, nous nous retrouvons sur la voie ferrée qui nous ramènera à la campagne, là où notre *pick-up* s'est fait tirer dessus.

– Nous devrions revenir sur nos pas, propose Cyril une millième fois, ignorant que les paramètres de la mission ont été radicalement modifiés.

– Ta gueule, Cyril ! que nous lui répondons en chœur.

Il n'y a pas plus de zeds sur la voie que tantôt. Nous arrivons rapidement à la hauteur du champ où notre voiture s'est renversée. Aucun zed en vue.

Sully, Sam2dePique et Stargrrrl s'accroupissent sur la voie.

– Pis si ça ne marche pas ? demande Nico, un brin pessimiste.

– Ça va fonctionner. Inquiète-toi pas.

– Non, mais sérieux. Si elle ne répond pas. On fait quoi ? On se déconnecte ?

– Si tu veux...

Je fais signe à Sam d'appeler Alicia sur son *walkie-talkie*. Il confirme mon intuition en nous précisant qu'un choix s'offre à lui : il peut communiquer avec le lieutenant Doucet ou avec Alicia. La voix de son avatar se fait entendre dans nos écouteurs lorsque Sam2dePique prononce la réplique préenregistrée :

– Alicia ?

Sam relâche le bouton émetteur. L'émetteur ne nous rend que de la statique.

Il essaie à nouveau.

– Peut-être qu'on est encore trop loin, suggère Nico.

Soudain, une série de clics se fait entendre. Spontanément, je me rapproche de mon écran pour être certaine de bien entendre… avant de me souvenir que j'ai un casque d'écoute sur les oreilles.

– Alicia ? répète à nouveau Sam2dePique.

La voix d'Alicia nous parvient faiblement. Les mots sont entrecoupés par la friture des ondes.

– … dez-m… Ils… a… enée… glise…… Maman… aid… oi…… de-moi…

Puis nous n'entendons plus rien. Que de la neige électrique. Ses ravisseurs ont peut-être découvert le *walkie-talkie*.

– *Shit*. C'est ben intense, dit Nico. Pis on est supposés comprendre où elle est retenue ? Moi, le seul mot que j'ai reconnu, c'est « maman ».

Stargrrrl se relève et fait les cent pas sur la voie ferrée.

Pense, Laurie, pense. Où peuvent-ils bien l'avoir amenée ?

– À quoi tu penses ? me demande Sam.

– J'essaie de deviner où ils se cachent... Quand je les ai croisés en ville, ils étaient au moins une demi-douzaine. Quand ils nous ont attaqués sur la route, avez-vous remarqué ils étaient combien ?

– Je sais pas trop... fait Nico.

– Il y en avait trois après toi, non ?

– Oui.

– Peut-être dix en tout ? avance Sam.

– Donc disons qu'on cherche un groupe d'une douzaine d'hommes, une prisonnière, si ce n'est pas plus, et deux foutus gros véhicules à cacher. Ça prend de la place. Une caserne de pompiers ou un aréna ? que je suggère.

– Plus comme un *bunker*. Genre une méga grosse maison avec un énorme garage en arrière.

– Pourquoi pas une église ? relance Nico.

Une église ! C'est ça qu'Alicia a dit. Elle nous disait de chercher une église. Je charge la carte, passe à l'image satellite, examine chacun des immeubles. Bingo !

– Je pense que j'ai trouvé. Regardez ici.

Nous avons de la chance. Il y a un rang qui mène jusqu'à la route sur le bord de la rivière où ils nous ont surpris. Je crois que nous venons de trouver leur repaire.

– Ça vaut la peine d'aller jeter un coup d'œil.

Le temps file. Les heures passent plus rapidement dans le jeu. Nous avons quitté le campement à l'aube et le soleil a déjà rejoint l'horizon.

Maintenant que nous savons où il faut aller, s'y rendre est un jeu d'enfant. Encore plus avec une carte et quelqu'un qui sait la lire. Le chemin de fer nous mène droit au rang. De grands peupliers sont plantés le long de la route. Dans le vrai monde, ils servent à briser le vent. Ici, c'est pour le look.

Nous tournons et marchons moins d'un kilomètre avant d'apercevoir la baraque.

– T'avais raison, que je dis à Nico.

– Toi aussi.

Elle est immense ! Un vrai château. Trois étages, moderne, tout en briques rouges. Ça doit être luxueux à l'intérieur. Un peu en retrait, il y a, comme Nico l'a mentionné, un énorme garage avec deux immenses portes. À croire que le garage a été conçu pour accueillir des tanks. Une des portes est ouverte. À l'intérieur, j'identifie un Humvee. Je suis certaine à quatre-vingt-dix-huit virgule sept pour cent que c'est un des deux Humvee qui ont foncé sur nous.

La grande porte se referme lentement. Un avatar en uniforme tactique se glisse en dessous, contourne deux autres voitures et se dirige vers le manoir. OK. Je suis maintenant certaine à cent pour cent que c'est le bon endroit. Et il y a aussi une église sur le terrain. Une chapelle, en fait. Toute petite. Tout autour de la propriété, des champs de maïs à l'abandon. Entre les deux, une grande clôture et des barricades.

C'était prévisible. Ils veulent garder les zeds à l'extérieur du domaine. Deux projecteurs de stade sont fixés à des poteaux de six mètres de hauteur, mais ils ne sont pas allumés. Avec la nuit qui tombe sur nous, notre avancée se fera dans le noir total. Parfait.

– Rassemblement tactique ! que j'ordonne, attrapant Cyril par le bras et le forçant à rester près de nous.

Sur leur écran, les gars m'observent, attentifs.

– J'ai un *feeling* qu'Alicia est gardée prisonnière dans la chapelle. L'objectif, c'est de la récupérer et de se pousser d'ici. On entre, on sort. Pas de fla-fla. Pas le temps de se venger de l'attaque. On n'explore pas. Ils sont trop nombreux et trop bien équipés.

– Oui, madame !

– Quelqu'un a des pinces coupantes ? Ça serait plus discret d'ouvrir le grillage de la clôture que d'avoir à l'escalader.

Sam2dePique et Sully me répondent par la négative.

– Toi, Cyril, t'aurais pas ça une paire de pinces coupantes ? que je dis en cliquant sur le soldat pour examiner son inventaire.

Cyril cherche dans sa poche et en sort l'objet convoité.

– Quoi !!!

On ne peut s'empêcher de s'esclaffer. C'est plus fort que nous. Cyril est le NPC le plus surprenant que nous avons rencontré à date. De un, il est encore vivant. De deux, il a du matériel utile avec lui. Et puis quoi encore, il sait viser ?

Nous retrouvons notre sérieux et suivons le plan que j'ai établi.

Tout d'abord, nous replongeons dans le champ pour passer inaperçus. À part Nico, qui doit s'occuper d'un zed solitaire à l'aide d'un poignard, il n'y a rien à signaler. Cachés par la chapelle, nous avançons au pas de course jusqu'à la clôture. De la maison, ils ne peuvent pas nous voir venir. Sully pointe sa lampe de poche sur le grillage alors que Sam taille une ouverture à l'aide des pinces.

Nous marchons dans l'ombre, longeons le bâtiment et réussissons à pénétrer dans la chapelle sans nous faire détecter, malgré que l'entrée soit visible depuis la maison. Sully referme la porte derrière lui en entrant.

Il n'y a plus aucun banc. L'autel a été démantelé. À la place, une vingtaine de barils métalliques sont entreposés.

– Alicia…

La jeune fille est là, couchée à même le sol. Elle se relève et me sourit.

– Je savais que vous ne m'aviez pas abandonnée, dit-elle.

D'un clic sur le personnage, je m'assure qu'elle a le maximum de points de vie. Bien, il nous faut partir aussi rapidement que possible. Le lieutenant nous l'a répété assez souvent, il ne nous attendra pas.

– Heu… C'est quoi ça ? demande Sully en pointant le faisceau de sa lampe vers une petite lumière rouge clignotante au plafond.

– Oh non…

Nous pouvons déjà entendre la commotion dans la maison. La caméra a tout filmé. Ils savent que nous sommes ici.

– Il faut y aller, maintenant !

Les hommes sortent de leur maison alors que nous ouvrons la porte de la chapelle.

– Baissez-vous ! que je crie.

Les balles traçantes passent au travers des portes de bois comme si c'était du papier. Sully, Cyril et moi retournons leurs tirs. Sans en avoir discuté, nous avons choisi la même cible. Touché, l'avatar s'effondre au sol.

Le résultat fulgurant de notre contre-attaque semble les prendre par surprise autant que nous. Sachant qu'il n'y a qu'une porte de sortie pour nous, ils prennent position à couvert. Ils ne tirent plus. Ils ont toutes les munitions à leur disposition. Le siège est en leur faveur.

À l'extérieur, les deux projecteurs géants s'allument. Ils pointent vers les champs. Les soldats se lancent des consignes.

– Qu'est-ce qui se passe ? demande Nico.

J'approche Stargrrrl de la fenêtre. Le champ est illuminé.

Je ne suis pas certaine de…

Puis je comprends. Les épis se balancent. Entre chacun des plants, une silhouette se découpe. Et celle-ci en cache une autre, et une autre, et une autre.

Des dizaines de corps animés de spasmes avancent vers la maison. Une horde.

Nous sommes bai...

– Chaud devant ! avertit Sam2dePique en poussant un baril de toutes ses forces pour l'envoyer rouler à l'extérieur de la chapelle.

Il retourne en chercher un second et l'envoie valser vers la maison. Puis, il ouvre le feu.

L'explosion du premier baril me prend par surprise. Une gigantesque boule de feu s'élève dans le ciel. Sam tire sur le second tonneau métallique qui produit, lui aussi, autant de lumière qu'une petite étoile.

Voilà pourquoi les soldats ne nous tiraient plus dessus. Nous sommes assis sur leur réserve d'essence.

– OK ! Go go go ! On dégage ! crie Sam. La voiture ! Embarquez dans la voiture !

Le feu nous offre une couverture suffisante pour nous rendre jusqu'à la voiture. De plus, il y a cette horde de zeds qui approche. Je crois que la bande de soldats a déjà les mains pleines sans avoir à se soucier de nous.

Sam2dePique embarque du côté du conducteur, Cyril, Alicia et Sully, sur la banquette arrière, tandis que Stargrrrl s'installe du côté du passager. Sam démarre le moteur de la voiture et la lance vers la sortie.

Se rendant compte que nous empruntons un de leur véhicule sans leur permission, les soldats ouvrent le feu sur nous. Quelques balles frappent la carrosserie, sans trop de dégâts.

Sam accélère et fracasse le portail d'entrée.

– Wouhou ! crie-t-il.

Nous ne sommes pas encore sortis du bois.

La horde de zeds ne se limite pas qu'au champ. Ils sont partout. Sur la route aussi. Sully et Stargrrrl sortent chacun un bras et tirent pour ouvrir un chemin, mais les zeds sont nombreux, très nombreux.

La voiture fonce au travers de la foule de morts avec le résultat escompté : une explosion de viscères. Les zeds sont plus dispersés que je ne le croyais. L'un d'eux s'accroche à la portière, mais un bon coup de crosse le fait tomber. Il passe sous les roues de la voiture, qui bondit. Sous le contrôle expert de Sam, la voiture contourne les plus gros amas de zeds. Il manœuvre adroitement le véhicule pour éviter qu'il s'embourbe sur une pile de corps.

Pendant un bref instant, j'ai espoir que nous réussissions cette mission.

À côté de moi, Sam2dePique s'effondre sur le volant. La voiture accélère.

– Arghhh ! échappe Sam.

Sam2dePique vient de s'évanouir. La fenêtre de communication de Sam est toute noire, mais je le vois à travers celle de Nico.

– Ils ont dû me toucher tantôt. J'ai perdu trop de points de vie.

Stargrrrl tente d'attraper le volant, met la main dessus, mais n'arrive pas à redresser la voiture à temps. Nous plongeons dans le fossé, en plein milieu d'une horde de zeds.

– Ahhhhh !

Nous nous retrouvons cul par-dessus tête dans la voiture. Coincés, il ne faut pas bien longtemps avant qu'on se fasse dévorer. Un par un, nos avatars crient sous les morsures.

Enfin, un message libérateur apparaît à l'écran : échec de mission.

– Ouain. On n'était pas dus pour la gagner, celle-là.

– Je vais dire comme Laurie, c'était pas notre tour, pousse Nico. Bon ! Pas que je ne vous aime pas, mais il est tard. Je vais y aller avant que ma mère s'inquiète pis mette la SQ à ma recherche.

– Salut, *man*, dit Sam, en lui faisant un *high five*. *Cool* soirée.

– *Ciao*, Laurie ! lance-t-il à la caméra.

– Salut, les *boys*. Moi aussi, je vais aller me coucher, que je leur annonce.

– OK. À plus.

Chapitre 2-12

– Wah wah, wah wah wah. Wah wah wah wah wah. Wah, wah wah. Wah ? dit monsieur Savard.

Comme tous les autres élèves, je fais vaguement signe que oui de la tête. Le prof continue ses explications. Depuis ce matin, je suis trop énervée pour me concentrer. Incapable de suivre les cours, je sais que j'aurai du rattrapage à faire plus tard. Charlotte a toujours de super notes de cours, je lui demanderai si je peux en faire une copie. Ça serait étonnant qu'elle refuse.

Mentalement, je revisite chacune des étapes de mon plan afin de m'assurer que je n'ai pas commis d'erreur au cours des derniers jours. Les tests étaient concluants. Le mécanisme fonctionnait à merveille.

Il n'y a aucune raison pour que ça échoue maintenant. Toutes les étapes ont été respectées à la lettre.

Le paquet est chargé et prêt à être déployé. Je sais ce que je dois faire. Il ne me reste qu'à attendre l'heure d'exécution.

Je n'en peux plus. C'est loooong !

Personne ne se doute de rien. En ce moment, si quelqu'un m'observe, il ne verra qu'une fille à l'attitude nonchalante, assise un peu trop croche sur sa chaise, presque blasée par le cours de maths. Il n'y a que ma jambe droite qui frétille de nervosité pour me trahir.

Ha ! Je pourrais totalement être une espionne. On n'y verrait que du feu.

Elle est loin l'époque où les agents secrets se cachaient derrière des journaux où on avait coupé deux trous pour les yeux.

Il ne reste plus que cinq étapes assez précises à ma longue liste :

a) prétexter une envie urgente pour sortir de la classe (11 h 47);

b) courir jusqu'à ma case pour prendre le paquet (11 h 49);

c) livrer le paquet sans me faire remarquer (11 h 51);

d) quitter les lieux du crime (11 h 52);

e) revenir en classe (11 h 53 à 11 h 55) et attendre patiemment.

Si j'y arrive – et il n'y a aucune raison pour que j'échoue –, j'aurai même un solide alibi. Trente personnes, dont un prof, pourront témoigner que j'étais dans la classe, sauf pour un court instant où il m'a fallu aller aux toilettes.

Mouahahahaha !

Je regarde une millième fois l'horloge à l'avant de la classe. 11 h 44. Je n'en peux plus ! Le temps est figé ou quoi ? On jurerait qu'un trou noir est apparu dans la classe pour empêcher les secondes de s'écouler normalement. Nouveau coup d'œil à l'horloge : toujours 11 h 44.

C'est pas possible ! Elle est bloquée ? Impossible que ce soit si long...

Ça y est, je suis folle. Je suis certaine que la grande aiguille vient de reculer. Je cligne des yeux. 11 h 46.

– Wah wah wah wah, wah ?

Machinalement, je hoche la tête.

– Wah wah... rianne ? Laurianne ! répète monsieur Savard un peu plus fort à mon intention.

– Heu... oui ?

– Ça va, tu es toujours avec nous ?

Eh bien, si j'avais l'esprit qui voguait sur la Lune il y a quelques instants, j'ai maintenant les deux pieds sur Terre. On est dans quel cours, déjà ?

– Donc tu me disais que tu pouvais répondre à la question.

– Heeeeeuuuu... C'était quoi la question ?

Mon étourderie amuse la classe.

– Celle qui est au tableau, dit-il, un peu découragé. Focus, Laurianne, focus. C'est important. Cette matière-là va être à l'examen.

Devant moi, Sarah-Jade laisse échapper un petit rire amusé. Plus mesquin qu'amusé.

– Il y a quelque chose de drôle, Sarah-Jade ? lui demande le prof.

– Non. C'est plutôt triste. Je trouve ça dommage qu'une élève vous manque de respect pendant votre cours.

Monsieur Savard lève les yeux au ciel et soupire, exaspéré par la réponse de ma rivale.

– Donc, Sarah-Jade, toi qui es si attentive, tu vas pouvoir me dire quelle est la solution. Pas vrai ?

Prise au dépourvu, Sarah-Jade fige et bégaie, incapable de répondre à l'interrogation pas si surprise que ça.

– Tu as raison, Sarah-Jade. On devrait avoir droit à un peu plus de respect dans cette classe. OK. Toutes les deux, dit-il en nous pointant, Sarah-Jade et moi, venez en avant.

Nous nous tenons côte à côte à l'extrémité du tableau blanc. Monsieur Savard nous tend à chacune un marqueur à encre sèche.

Sarah-Jade est en furie de s'être mis les pieds dans les plats. Son attitude s'est enfin retournée contre elle. Elle essaie de se tenir aussi loin de moi que possible, comme si j'allais la contaminer.

Je jette un coup d'œil à l'horloge : 11 h 48.

Mon plan ! Ce n'est pas comme ça que ça devait se passer. J'étais si près du but… Urgh.

Tout en parlant, monsieur Savard… « Il nous reste quelques minutes »… inscrit un court résumé… « avant la fin du cours, et nous allons voir »… sur le côté gauche du tableau… « qui a retenu la leçon »… puis un second sur le côté droit.

– Résolvez-moi ce problème.

Oh. Juste ça ? C'est bien moins pire que ce je croyais. Je recule d'un pas pour lire les résumés au tableau.

Un groupe d'amis va au dépanneur et se procure 4 barres de chocolat et 6 sacs de *chips* pour 20,02 $.

Le lendemain, ils y retournent et s'achètent 3 barres de chocolat et 5 sacs de *chips* pour 16,30 $. Combien doivent-ils payer le surlendemain pour 6 barres de chocolat et 4 sacs de *chips* ?

Les deux problèmes sont quasi identiques, sauf pour les valeurs déboursées (celles de Sarah-Jade sont de 19,32 $ et de 15,67 $). C'est un simple système d'équations par comparaison. Crayon en main, je me mets au travail. Je crée tout de suite un système d'équations et réduis rapidement chacune d'elle pour isoler une inconnue – la même dans les deux cas, soit le prix d'un sac de *chips*. En les comparant, j'obtiens la valeur de la barre de chocolat (1,15 $), que je substitue dans la première équation pour isoler la valeur du sac de *chips* (2,57 $). Et hop, on trouve la réponse : 17,18 $.

L'opération n'a pas pris deux minutes.

De son côté, Sarah-Jade souffre. Son calcul aussi. Elle est partie sur une mauvaise piste. Impossible qu'elle parvienne à trouver la bonne réponse.

– Bon. Je pense que c'est clair. OK, tout le monde. Le cours est terminé, vous pouvez aller dîner. Une minute, Sarah-Jade ! lance monsieur Savard. Toi, tu restes ici. On va prendre le temps de comprendre le problème et de le résoudre comme il faut.

Là, j'avoue que je jubile à l'idée qu'elle ait perdu la face. C'est encore mieux que je n'aurais pu l'espérer.

Hum, léger retard sur mon horaire, mais c'est encore jouable !

D'une main, je pousse mes cahiers dans mon sac à dos et quitte au pas de course en lançant à la gang que je vais les rejoindre tantôt. Je double tout le monde dans le couloir et descends les escaliers. Au risque de me casser le cou, je saute les cinq dernières marches de chaque palier. Je dois réussir à livrer mon paquet et à quitter les lieux avant l'arrivée de témoins.

Heureusement, madame Céline n'est nulle part dans les parages. Je cours jusqu'à ma case, jongle avec mon cadenas, me trompe de combinaison.

Du calme, Laurie.

Je prends une inspiration et recommence, ramène la roulette au zéro et la fais tourner. Je tire un bon coup sur le cadenas et ouvre la case. Le paquet est là. Je le saisis et repars en courant, sans même prendre le temps de refermer ma case. D'ailleurs, j'ai toujours le cadenas entre les doigts.

Plutôt que d'emprunter l'escalier central, celui par où tous les élèves descendent, je choisis celui à l'arrière de l'école qui donne aussi accès à la cour. Ma case se trouve pratiquement entre les deux. J'entrerai donc dans la cafétéria par-derrière, évitant ainsi les surveillantes et les élèves de ma classe.

Alors que j'ouvre la porte de la cafétéria, la cloche du midi retentit. Les classes se vident.

Vite, vite, vite !

Pour ne pas être trop suspecte, je fais de la marche rapide, qui me donne juste l'air d'être constipée. On ne s'en sort pas. Sans m'arrêter, je dépose le tube en carton au pied de la table et poursuis mon chemin.

Je sors de la café tout en sueur quelques secondes avant que les premiers élèves y entrent et se ruent sur les tables.

Personne ne m'a vue. Enfin, j'espère. Ne reste plus qu'à attendre.

Charlotte, Margot et Elliot sortent de la cage d'escalier.

– Problèmes gastro-intestinaux ? me demande Elliot.

– Ark, non.

– T'as pas attrapé une gastro, toujours ? me demande Margot, inquiète.

– Non, non. Tout va bien, que je les rassure.

– Ouf. Parce qu'une gastro, enchaîne Elliot en souriant... c'est chiant.

Pou-doum poum psssht !

Charlotte, Margot et moi le regardons avec notre air « Tu veux rire ? T'as vraiment osé faire cette blague poche là ? »

– J'espère que l'École de l'humour ne fait pas partie de tes projets à long terme, lui lance Charlotte.

– Ça fait six mois que j'attends de la sortir ! dit-il, enthousiaste.

– Ouais, ben, nous, on ne l'a pas digérée, lui répond Margot. Tu aurais pu te retenir.

– Ohhhh ! Très bonne répartie. Je vais devoir essayer de m'en souvenir, dit-il en riant.

Comme tous les midis, la cafétéria est pleine à craquer. Et dès que les élèves y pénètrent, il n'y a qu'un seul volume : bruyant.

Pendant que Margot réussit miraculeusement à faire chauffer son plat dans l'un des deux micro-ondes disponibles pour toute l'école, nous allons nous asseoir à notre table habituelle. Charlotte sort de son sac une salade de légumineuses, moi, un sandwich au thon, qui aurait grandement bénéficié de la touche magique du maître des sandwichs assis à ma droite, qui dispose devant lui trois sandwichs, un sac de crudités, un plat de houmous, un yogourt, des biscuits et une bouteille de jus tout en ouvrant un sac de Doritos.

– Quoi ? demande-t-il en constatant que nous le fixons, bouche bée.

– T'aurais pu nous le dire. On ne se serait pas fait de lunch, lui dit Charlotte.

– Penses-tu vraiment manger tout ça ?

– Absolument ! J'ai tellement faim, ces jours-ci, c'est pas croyable ! Ma mère capote.

– Je la comprends, que je dis.

– C'est tellement injuste ! se plaint Charlotte. Il mange pour quatre pis il est gros comme un spaghetti. Moi, je pense à un dessert et j'ai les hanches qui gonflent.

– Charlotte ! T'es pas sérieuse, là ? s'insurge Elliot. Tu vas pas me faire croire que toi, tu laisses l'industrie de la mode te dire de quoi tu devrais avoir l'air ? Tu sais bien que leurs diktats sont irréalistes pis que les mannequins qu'ils engagent sont anorexiques et *photoshoppées*. Franchement, le corps d'une femme ne ressemble pas à ça !

– De un, fait Charlotte, on le sait toutes que les revues, c'est n'importe quoi, pis qu'elles nous renvoient une image trompeuse de ce que devrait être la femme, lui répond Charlotte. On n'a pas besoin que tu viennes nous faire la leçon. Compris ? De deux, de quoi tu parles, Elliot ? J'ai juste dit que je t'enviais ton système digestif, pas que j'allais me contenter d'une feuille de laitue pour la semaine !

– De un, répond Elliot en l'imitant, désolé de prendre ta santé à cœur. De deux, tu me rassures.

Charlotte lui tire la langue, mais Elliot est trop concentré sur sa prochaine bouchée pour voir la grimace.

– Je ne suis pas en train de dire que je suis d'accord avec leurs standards, se met-elle à marmonner après un moment, mais ça ne m'empêche pas de vouloir être belle et désirable. Bon.

– T'es pas grosse, dit-il.

– Je le sais que je ne suis pas grosse !

– De quoi on parle ? demande Margot, en s'assoyant à table.

– Charlotte se trouve grosse, que je réponds.

– Elle fait un régime, précise Elliot, la bouche pleine.

– Je ne suis pas à la diète ! s'emporte-t-elle.

– Pourquoi tu suis un régime, d'abord ? demande Margot.

– Argh ! s'exclame Charlotte. Vous m'énervez, à la fin ! Je suis juste jalouse d'Elliot ! Je suis certaine que

Laurianne s'impose les mêmes restrictions alimentaires que moi. Pas vrai, Laurie ?

Naturellement, elle me pose cette question alors que je viens de mordre à pleines dents dans mon sandwich.

– Humpf, gnouch.

– Quoi ?

– Je mange ce que je veux, que je réponds après avoir avalé ma bouchée. De toute façon, comme je cours beaucoup, ce que je mange, je le brûle. Je pourrais bien couper un peu dans les *chips*, que je dis en en pigeant une poignée dans le sac d'Elliot, mais ça ne me tente pas. Au contraire, courir me permet de bouffer avec zéro culpabilité. Mmmm… Doritos… mes préférées…

La balloune de Charlotte se dégonfle. Elle me regarde, le bec pincé. Frustrée, elle dépose sa fourchette, referme son plat de pois chiches, de fèves rouges et de persil et empoigne le sac de *chips* d'Elliot.

– T'as raison, Laurie. Mais si j'ai des grosses fesses à trente ans, c'est toi que je vais tenir pour responsable, dit-elle en se levant de sa chaise.

– Où tu vas ?

– Au casse-croûte, me chercher un sandwich BLT. Extra bacon. Pis avec plein de mayo ! nous crie-t-elle en s'éloignant, sac de Doritos toujours en main.

En s'éloignant, Charlotte attire mon regard vers la table de Sarah-Jade et de sa clique. Ils y sont tous : William, Zach, Noémie ainsi que la petite reine en chef. Comme toujours, Sarah-Jade est assise sur

William, son champion, et lui joue dans les cheveux; à leurs côtés, Zach, en fou du roi, balance sa chaise sur deux pattes et ignore la pauvre Noémie devant lui qui, malgré le manque d'intérêt à son égard et son comportement disgracieux à mon endroit, persiste à lui faire de beaux yeux.

Il me semble qu'habituellement, les gangs dites « *cool* » choisissent des endroits retirés, aussi loin que possible des yeux indiscrets des profs et des surveillants. Un peu comme dans les salles de classe, où ils sont le plus souvent en arrière. En tout cas, c'est ce qui se passait à mon ancienne école. Et c'est aussi ce que j'ai pu observer dans les films. Il y a une logique à tout ça, non ? Alors pourquoi Sarah-Jade a-t-elle choisi la table qui se trouve au centre de la cafétéria ? Est-ce une variation dans la stratégie de domination de ses pairs ?

Au pied de la table, le paquet est toujours là. Personne ne l'a remarqué. Comment se fait-il qu'ils ne l'ont pas remarqué ? Ils sont aveugles, ou quoi ?

Elliot me demande :

– T'es certaine que ça va, Laurie ?

– Oui, pourquoi ?

– Ça fait cinq minutes que tu fixes le vide, la bouche grande ouverte. T'as pas faim ?

Je suis si absorbée par le moment que j'en oublie de manger.

Selon mes calculs, ça aurait dû survenir plus tôt. Possible que je me sois un peu trompée (ça m'est déjà arrivé, je le reconnais, et il est plus que probable que ça arrive encore). Prévoir les comportements est loin d'être une science exacte.

Si je le pouvais, je trouverais un moyen d'attirer leur attention vers le tube.

Patience, Laurie. Aie confiance en ton plan.

– As-tu des plans pour ce soir ? me demande Elliot.

– Hein ?

– Allo ? Laurianne ! Coudonc, t'es sur quelle planète aujourd'hui ? Est-ce qu'il y a quelque chose que tu devrais nous dire ?

De quoi parle-t-il ? Pourquoi est-ce qu'Elliot me demande ça ? Est-ce qu'il se doute de quelque chose ? Ah non ! Il se doute de quelque chose. J'étais pourtant certaine d'avoir pris toutes les précautions nécessaires pour que personne ne sache que c'était moi. C'est mieux ainsi. Si, malgré tout, on remonte la piste, mes amis ne seront pas accusés. Parce qu'ils ne savent rien.

Je joue à l'innocente.

– Comme quoi ?

– Est-ce que c'est un amoureux qui te met dans cet état-là ?

Charlotte choisit précisément ce moment pour se rasseoir à table.

– Ah ! Je le savais ! Laurie a un amoureux secret ! Dis-moi tout ! Je veux des détails.

Juste comme je m'apprête à nier, l'action déboule enfin à la table de Sarah-Jade. Un jeune de secondaire un accroche Zach, qui basculait un peu trop sa chaise

sur ses pattes. Celui-ci passe proche de perdre l'équilibre et de partir à la renverse, mais il se relève de
justesse. En se retournant pour insulter le jeune, il
accroche le tube, qui roule à ses pieds. Intrigué, Zach
ramasse le paquet.

Ça fait des jours que je rêve à ce moment. Aban-
donnant toute logique, je fais signe à mes trois amis
de surveiller nos meilleurs ennemis.

– Qu'est-ce qui se passe ? demande Charlotte dans
un murmure.

Je lui fais signe de patienter et d'observer.

Zach inspecte le tube. Il n'y a rien d'écrit dessus,
pas de nom, pas d'adresse. Que deux flèches rouges
indiquant un des bouts. Zach demande à Sarah-Jade
et à William si ça leur appartient. William affiche une
grimace tandis que Sarah-Jade hausse les épaules,
désintéressée. Zach se retourne vers Noémie, dont le
visage s'illumine à l'idée de le voir enfin s'intéresser
à elle. Puis il regarde à gauche et à droite, se disant
que si le propriétaire est là, il aurait dû se manifester
plus tôt. Qui va à la chasse aux jujubes perd son tube,
doit-il penser.

Personne pour l'empêcher de s'en approprier le
contenu.

Si je le pouvais, je me tiendrais debout, masquée
et costumée, sur la table de Sarah-Jade. Je pointerais
un doigt accusateur sur elle et clamerais : « Sarah-
Jade Thibault, tu as trahi cette école ! »

Zach empoigne le tube et tire sur le bouchon.

Chapitre 2-13

Dans un geyser multicolore, des brillants jaunes, roses, bleus, violets, blancs et rouges sortent du tube, volent dans tous les sens et retombent comme une fine pluie d'étoiles scintillantes. Zach a reçu le plus gros de l'explosion. Il a la moitié du visage violette, l'autre est bleue. Mais Sarah-Jade, William et Noémie ne sont pas en reste. Leurs cheveux et leurs vêtements sont couverts de brillants. Une fine couche de paillettes multicolores vient se déposer sur leur table.

Pendant une seconde, le silence règne dans la cafétéria. Pendant un moment, tout le monde cherche à comprendre ce qui vient de se passer. Puis Sarah-Jade se met à crier :

– AHHHHH !!!

Un déluge de rires inonde la cafétéria. Le tonnerre d'applaudissements enterre son cri.

– J'en ai partout.

– Ça colle, se plaint Noémie en frottant vigoureusement son chandail.

– T'as le visage mauve, le gros, dit William à Zach, qui recrache une bouchée de paillettes.

– Ark...

Sarah-Jade se secoue, cherche à se nettoyer de tous ces brillants, mais elle ne parvient qu'à mieux les répandre là où il n'y en avait pas, sur son visage, dans ses vêtements.

Afin de ne pas se faire éclabousser de paillettes, les voisins de la table royale ont tous pris leur distance. À côté de moi, Charlotte, Margot et Elliot braillent littéralement de rire. Attirés par la commotion, les surveillantes et les profs ne peuvent s'empêcher de sourire.

Sarah-Jade se lève, enragée, et admoneste la foule, exigeant qu'on dénonce le responsable.

– Argh ! Qui a fait ça ? crie-t-elle. Qui a fait ça ?

Décontenancée, elle interroge William du regard, qui lui répond d'un haussement des épaules voulant sûrement dire : « Regarde-moi pas comme ça, *babe*. C'est pas de ma faute. »

Puis elle se tourne vers moi et nos regards se croisent. Je ne peux m'empêcher de lui lancer un clin d'œil.

– Toi !

– Moi ? dis-je, l'air innocent.

Sarah-Jade serre les poings et avance dans ma direction, mais Simon vient s'interposer en lui bloquant le chemin. Une chance, car j'étais figée sur ma chaise. Je n'avais pas prévu que la réaction de Sarah-Jade serait aussi intense. Qui sait ce qu'elle aurait fait sans l'intervention de Simon ?

– C'est pas fini, Laurianne Barbeau ! Tu peux compter sur moi.

– J'ai rien à voir là-dedans, que je me défends.

J'essaie d'avoir l'air la plus convaincue possible. Je sors mon meilleur bluff. Et pendant un moment, je vois dans les yeux de Sarah-Jade qu'elle n'est plus aussi certaine que c'est moi.

Mes parents m'ont toujours dit que j'étais une bonne menteuse. Malgré ses superpouvoirs de parents, papa n'arrive toujours pas à savoir si je lui mens. Une chance, ça n'arrive pas souvent. Il n'y avait que maman pour percer mon jeu à jour... Mais elle ne m'a jamais révélé le signe qui me trahissait.

Frustrée, Sarah-Jade crie comme une déchaînée et sort de la cafétéria en furie. William, dans un moment de frustration, donne un coup de pied sur une chaise, tandis que Zach ne se gêne pas pour cracher des brillants sur la table, après quoi il a quand même la galanterie d'entraîner une Noémie au bord des larmes par le bras.

Tous les élèves applaudissent leur sortie de la cafétéria, heureux de voir Sarah-Jade et sa clique perdre un peu de leur lustre. Dans un air de défi, Zach se retourne et fait une courbette pour saluer la salle. Difficile de sortir la tête haute avec le visage mauve et scintillant.

Simon prend une chaise de la table à côté et s'assoit à cheval devant moi. Ce qui le place juste à côté de Margot. Margot, qui fond sur place et coule sur sa chaise. Pauvre Margot. Elle est complètement pétrifiée par la proximité imprévue de son *kick*.

– Wow ! C'était quelque chose, déclare-t-il.

– C'était génial ! renchérit Elliot. Le plus beau feu d'artifice que j'ai vu de toute ma vie !

C'est la première fois que je peux examiner Simon d'aussi près. Je comprends Margot de craquer pour lui. Avec ses cheveux blonds frisés, son teint clair et les muscles de ses bras qui commencent à se découper – ça paraît qu'il s'entraîne –, il est plutôt beau garçon. Absolument pas mon type, mais beau garçon quand même.

– Est-ce que c'était toi ? me demande Simon de but en blanc.

– Pourquoi tu penses que c'est moi qui suis derrière ça, Simon ? que je lui réponds en ressortant ma *poker face*.

Je pense que j'ai épuisé ma réserve de *poker faces* pour le mois. Il n'a pas l'air de me croire et poursuit :

– Je sais pas... Mais Sarah-Jade, elle, avait l'air de croire dur comme fer que c'était toi.

– J'ai aucune idée d'où elle a pris ça. Honnêtement, j'aurais aimé ça, l'avoir fait, que je mens. Mais ce n'est pas moi. Désolée.

– OK, si tu le dis, conclut-il en balayant le sujet. Pendant que j'y pense. Si ça vous dit, je fais mon traditionnel party d'Halloween samedi. C'est costumé, bien sûr. Si ça vous tente, ce serait super si vous pouviez faire un tour.

– *Cool !* Certain qu'on va y être. Pas vrai, les filles ? répond Elliot.

Charlotte et moi approuvons de la tête et remercions Simon. Margot, elle, n'arrive pas à bouger un muscle.

– OK, super ! Je vous laisse. À plus tard.

Les yeux rêveurs, elle le regarde s'éloigner tel un cowboy dans le désert. Elle s'est pris une loge au septième ciel. Ça se voit. Tout son être dégage le bonheur.

Elliot claque ses doigts pour la ramener à la réalité.

– Youhou ! La Terre appelle Margot !

– Il sent bon… souffle-t-elle, encore dans les vapes. Avez-vous senti son parfum ? C'est la plus belle odeur que j'ai jamais sentie. Pensez-vous qu'il m'en veut beaucoup ?

– Pourquoi il t'en voudrait ? demande Charlotte.

– Ben, parce que c'est à cause de moi qu'il s'est ramassé sur la photo.

Quand Margot nous a appris l'existence de la page, la photo la tournant en ridicule les mettait en scène tous les deux. J'avais presque oublié ce détail.

– Honnêtement, je pense que personne n'a remarqué qu'il était dedans, que je lui réponds. En tout cas, il n'a pas l'air de s'en faire avec ça.

– J'ai peut-être encore une chance…

– J'espère que je me trompe, Margot, intervient Elliot, mais j'ai comme un mauvais *feeling*. Je le sais, je le reconnais, je ne suis pas le meilleur pour reconnaître les signes. Mais de proche, comme ça, je sais pas. Il me semble qu'il avait l'air… désintéressé. Vous trouvez pas ?

– Écoute-le pas. Il ne sait pas de quoi il parle, que je dis.

– Je vous dis juste mon impression.

– Justement, explose Charlotte, nous, on te dit que ton impression est dans le champ ! As-tu été témoin de la même scène que nous ? Il n'était pas du tout « désintéressé », comme tu dis. C'est une technique de *cruise*. Si tu veux que ton *kick* te tombe dans les bras, tu as le choix : tu peux te déclarer ouvertement ou jouer la carte de la subtilité. Quand tu t'annonces trop fort, t'as l'air *needy*. Pas toi, Margot. Toi, c'est *cute*. C'est un jeu de pouvoir, l'amour. Simon a tout du gars galant qui veut prendre soin de sa blonde. Je m'inquiéterais plus s'il se présentait comme un dépendant affectif.

– Tu penses ? demande Margot, qui n'a pas l'air de comprendre où s'en va Charlotte.

J'avoue que j'ai aussi de la difficulté à suivre son raisonnement.

– Certaine !

– Donc, que j'essaie de résumer, si Simon ne s'inté-resse pas à Margot, c'est parce qu'en fait il s'intéresse à elle. C'est ça ?

– Exactement !

– Oui, mais tout le monde sait que Margot a le gros *kick* dessus, à cause de la page.

– Ouin, pis ?

– Ben, fait Elliot, il n'a pas à lui faire la cour. Il y a comme zéro risque pour lui. Mettons qu'il vient ici pis qu'il l'invite au cinéma, elle va dire oui.

– Tu penses ? demande Charlotte, sarcastique.

– Tu dirais oui, Margot ?

– …

– Tu vois ! fait Elliot. S'il était vraiment intéressé, il viendrait lui dire qu'il est intéressé. Mais là, pfffuit ! On était en dessous du degré zéro de la subtilité.

– Peut-être qu'il était gêné qu'on soit là ? que je dis. En plus, on ne peut pas dire que la cafétéria soit l'endroit idéal pour inviter une fille à sortir.

– L'as-tu déjà vu *cruiser* une autre fille ? demande Charlotte à Elliot.

– Non.

– Ha ! Parce qu'il joue au désintéressé ! conclut-elle.

– Non. Tu penses qu'il joue au désintéressé alors qu'il est supposé être intéressé. Pas pour être méchant, Margot, je suis dans ton équipe, pis tout, lui dit-il. Je pense qu'il est désintéressé au premier degré. Comme dans « pas intéressé ».

– Petit un, on a déjà établi que tu étais nul pour identifier les signes d'intérêt chez les autres, dit Charlotte. Petit deux, moi, je sentais des papillons !

– Parce que tu peux sentir les papillons chez les autres, toi !

– Oui, monsieur. Suffit d'observer les pupilles, la respiration, la sudation sur les paumes des mains.

– Es-tu en train de me dire que tu es un test de Voight-Kampff à toi toute seule ? demande Elliot.

– Presque.

– Je pense qu'il a juste été intimidé par notre présence. Il doit attendre le bon moment pour l'inviter. Comme un party d'Halloween, par exemple. Qu'est-ce que tu en penses, Margot ? lui demande Charlotte.

– Je sais pas trop…

– Tu devrais l'inviter, que je lui dis. On ne vit plus au vingtième siècle. Les filles n'ont pas à attendre que le prince charmant débarque de nulle part sur son beau cheval blanc. S'il t'intéresse, fais les premiers pas ! De toute manière, si tu attends qu'un gars se déniaise avant d'aller le voir, il y a de bonnes chances pour qu'il soit rendu avec une autre.

– T'as peut-être pas tort là-dessus, fait Charlotte.

Chapitre 2-14

Tout le monde parle de la bombe à paillettes ! C'est le sujet chaud de l'école cet après-midi. Si c'était Twitter, l'explosion de brillants ferait assurément partie des tendances : #geysermulticolore #Sarah-Jadeaeucequ'ellemeritait #attaqueaujusdelicorne.

D'un côté, ça semble avoir calmé les ardeurs de Sarah-Jade. Au cours de l'après-midi, elle n'a passé aucun commentaire condescendant, n'a pas essayé de lancer de rumeur, n'a pas jugé les gens autour d'elle – pas à voix haute, en tout cas –, ni n'a dit à Noémie qu'elle était sa « petite pute préférée » comme elle le fait habituellement, ce qui, à ma grande surprise, ne semble jamais déranger la principale intéressée.

Sarah-Jade et Noémie ont passé une bonne demi-heure dans les toilettes à se frotter le visage, mais elles sont toujours barbouillées de brillants. Malgré cela, Sarah-Jade continue à marcher la tête haute. On peut dire qu'elle ne se laisse pas abattre. Je mettrais ma main au feu que sous cette façade imperturbable, elle bouille.

À la fin du dernier cours, elle est la première à quitter la classe... en un éclair multicolore !

Dans le sous-sol, alors que nous laissons nos manuels et prenons nos manteaux, Elliot revient une nouvelle fois sur l'explosion de la bombe à paillettes. Pour lui, c'est le coup le plus génial qui soit survenu à l'école depuis au moins une décennie ! Un tour digne des légendes, qui va entrer dans les annales. Il sautille d'excitation et de bonheur, narre la séquence d'événements comme si nous n'en avions pas été témoins. Un peu plus et il propose au journal étudiant d'en faire un article !

– J'espère que quelqu'un a eu le réflexe de les prendre en photo, dit-il. Vraiment trop *cool* ! Pis la face de Zach...

– En tout cas, j'espère qu'elle va se rendre compte à quel point son attitude peut-être *bitch*, dit Charlotte.

– M'étonnerait que l'introspection fasse partie de ses habitudes. Même si elle n'en tire rien, ça a valu la peine de voir ça, que je dis.

– Ouais ! Elle a tellement couru après, ajoute Margot. Est-ce qu'on va à La Grotte ?

– Peut-être après le souper, propose Elliot. Ma mère s'en vient me prendre dans cinq minutes. J'ai un rendez-vous chez l'ortho. Je dois me faire resserrer les broches.

– Après le souper, c'est bon pour moi. Ça va me donner le temps d'aller courir un peu.

– OK. On se voit tantôt, d'abord, dit Margot.

Le vendredi, l'école se vide en un rien de temps. Ce n'est donc pas étonnant que je me retrouve seule dans les toilettes. Je m'enferme dans un cabinet. Mal ajustée, la porte frotte contre la paroi de métal. Je dois la forcer pour pouvoir la verrouiller.

Je suis un peu déçue que personne à part Simon ne me soupçonne d'être à l'origine de la bombe à paillettes. Mais bon, je ne devrais pas trop me plaindre. Après tout, j'ai œuvré dans le secret et ai tenu mes amis dans l'ignorance. C'est autant pour leur protection que la mienne que j'ai procédé ainsi.

Un secret n'est un secret que dans la mesure où on ne le révèle à personne. Pas vrai ? Il est donc très bien gardé. Je peux me faire confiance.

Lorsque je me relève et attache mon pantalon, j'entends deux filles entrer dans les toilettes. Elles parlent comme si elles étaient seules au monde. Je reconnais tout de suite les voix de Noémie et de Sarah-Jade. Leurs pas s'arrêtent devant les lavabos.

– J'ai tellement hâte de prendre une douche ! dit Noémie. Il y avait tellement de brillants que j'en ai dans la petite culotte. Ça me pique !

– M'as-tu vu l'allure ? Parce que j'étais vraiment plus proche du tube. C'est clair que j'en ai au moins deux fois plus que toi, No. Ma blouse est ruinée. En tout cas, j'en ai parlé à ma mère tantôt, pis je l'ai convaincue que j'avais absolument besoin d'une nouvelle montre de course si elle ne voulait pas que je reste traumatisée à vie. Fait que demain, genre, on s'en va magasiner.

– T'es tellement *hot* ! Mes parents, ils ne veulent jamais rien. Sont poches.

– Je sais.

Urgh. J'ai zéro envie de les croiser, ces deux-là. Depuis ce midi, Sarah-Jade a dû décompresser, mais disons que je vais jouer la carte de la prudence quand même. Je reste cachée dans le cabinet et ne fais aucun bruit. C'est à peine si je respire.

– Penses-tu vraiment que j'ai une chance ? demande Noémie.

– Absolument ! La voie est libre.

Bon, de quoi elles parlent maintenant ? Elles ne pourraient pas faire comme tous les autres et juste s'en aller ?

– Zach, c'était une erreur d'essayer de te *matcher* avec lui. C'était encore trop tôt. Il ne le dira jamais, mais il souffre encore de sa séparation avec Alexa. C'était un vrai coup de pétasse, de le laisser comme ça pour retourner avec son ex. Elle lui a vraiment fait de la peine.

– Tu crois ? Pourtant, ça a juste duré une semaine...

– Quand c'est le grand amour, une semaine, c'est comme si c'était une vie !

– Ah ouin ? Pourtant, il n'a pas l'air d'être en peine d'amour...

– No, l'interrompt Sarah-Jade, je t'ai déjà dit que tu ne devrais pas prendre ce rouge à lèvres là. Ça fait vulgaire.

– Tu penses ? Pourtant, c'est le même rouge que toi.

Je voudrais bien voir la tête qu'elle a en ce moment. Avec les paillettes, elle doit être d'une grande classe ! Malheureusement, il n'y a pas de jour entre la porte et la paroi métallique. Peut-être que... Je mets un pied sur la lunette instable de la toilette. En plus, si elles se retournent, elles ne verront qu'un cabinet vide.

Au dernier moment, je retrouve mes sens et résiste à la tentation de regarder par-dessus la paroi. Un plan pour qu'elles voient ma tête dans le miroir.

– Fais-moi confiance ! T'es une belle salope quand même, ajoute-t-elle amicalement, ce qui fait rire Noémie.

« Salope ». Elle devrait se regarder dans le miroir avant de traiter les autres de salopes.

– Zach, il est super bon pour cacher ses émotions. C'est pas de ta faute si ça n'a pas marché. S'il m'avait écoutée, c'est certain qu'il aurait entendu raison pis qu'il sortirait avec toi. Alexa l'a un peu brisé. Il est comme pas prêt pour une relation. Le pire, c'est que William me dit qu'il n'arrête pas de parler de Laurianne. Je sais pas ce qu'il lui trouve, à elle ! As-tu remarqué comme elle a les cheveux genre gras ?

Même pas vrai !

– Cette fille-là a zéro point de *cutitude* pour elle. Elle peut bien se tenir avec Elliot pis ses *nerds*. Tu sais, plus j'y pense et plus je suis convaincue que c'est de sa faute à elle, si ça a tout foiré.

OK. Un, ark ! J'ai tellement pas le goût d'être le *kick* de Zach. Juste de penser qu'il pense à moi de cette façon, ça me donne des frissons dans le dos. N'importe qui sauf lui ! Et deux, comment ça, c'est de ma faute ? T'as une bulle au cerveau, Sarah-Jade. Tu ferais mieux d'aller consulter un psy.

– J'ai tellement hâte d'embrasser Simon !!! couine Noémie.

– Si tu fais comme j'ai dit, c'est garanti que vous *frenchez* demain.

Hystérique, Noémie crie sa satisfaction.

Au même moment, la toilette de mon cabinet se déclenche. Mon cœur s'arrête.

– Est-ce qu'il y a quelqu'un d'autre ? demande Sarah-Jade tout bas.

– Hein ? Non. C'est la toilette qui *flush* tout le temps toute seule.

– T'es certaine ?

Si les filles approchent et qu'elles me trouvent ici, perchée sur la toilette, en train de les espionner – même si c'est moi qui étais là en premier –, je ne donne pas cher de ma peau.

Pense, Laurianne, pense !

Je ne peux pas m'accrocher à la paroi. Mes doigts vont dépasser. Le cabinet est juste assez profond… Je n'ai pas trente-six options. Je me lance. Tout doucement, je pose mes mains sur la porte métallique et, sans faire de bruit, j'appuie un pied sur le mur de brique derrière moi. Je presse et lève mon autre jambe, me croisant mentalement les doigts pour que le métal n'ébruite pas ma présence. Je pousse de toutes mes forces pour maintenir mon pont et ne pas tomber.

– As-tu vu si on était toutes seules en entrant ? continue Sarah-Jade.

Jason Bourne peut aller se recoucher. Je force comme si ma vie en dépendait. Des pas. Sarah-Jade s'approche du cabinet. Elle va regarder... Je retiens ma respiration.

Prends ton temps, Sarah-Jade ! C'est pas comme si quelqu'un se cachait dans les airs derrière la porte !

Une de mes jambes a un spasme. Par la seule force de mon esprit, je lui ordonne de cesser de bouger. Miraculeusement, elle m'écoute.

Enfin, Sarah-Jade se relève et déclare :

– C'est beau. On est toutes seules.

Ouf !

– Bon. Écoute, je me suis occupée de la compé-tition.

– Qu'est-ce que tu veux dire ? demande Noémie.

– Ben là ! répond sèchement Sarah-Jade comme si c'était une évidence. Les photos de Margot...

Deux bonnes secondes passent avant que cette information ne parvienne au cerveau de Noémie.

– Ahhh !

Elle l'a dit ! Elle l'a dit, que c'est elle ! Faut que j'en-registre des preuves. Peut-être que... Non ! Impossible de saisir mon cell dans la poche de mon pantalon. Si j'enlève une main, je tombe à plat ventre, c'est sûr.

Mes abdos se mettent à se crisper. Mes cuisses brûlent. Je ne vais pas pouvoir tenir encore bien long-temps dans cette position. J'allonge mes respirations pour maximiser l'apport en oxygène à mes muscles et ferme les yeux pour me concentrer.

– Bref, Margot, ça m'étonnerait qu'elle ait un chum avant le cégep. Surtout pas Simon. S'il ne veut pas se faire éclabousser à nouveau, il n'a qu'à se tenir loin d'elle. Je pense qu'il a compris le message. *Anyway*, qui voudrait d'elle maintenant ?

– Et qu'est-ce que je dois faire ?

– C'est tellement simple ! Tu vas aller voir Simon et tu vas l'écouter parler de ses problèmes. Les gars adorent qu'on les écoute parler. S'il fait des blagues, ris, même si tu ne les comprends pas. Il faut que tu compatisses avec lui. Tu vas lui dire que tu comprends que c'est poche d'être une victime collatérale. Tu es là pour lui, OK ? Tu lui dis ça en lui touchant le bras. Ça, c'est important. Ça va créer un lien émotionnel entre vous deux. Pis t'as juste à faire ta *cute*, comme je t'ai montré.

– T'es vraiment la meilleure, Sarah-Jade.

– Je sais, dit-elle.

Leurs pas s'éloignent. Enfin, je les entends sortir.

Tous les muscles de mon corps tremblent. Je n'ai jamais tenu la planche aussi longtemps. Ça me brûle partout. Je tente de poser un pied au sol, mais il est trop loin. La lunette est plus facile à atteindre. J'étire la jambe gauche, mets le pied sur la lunette. Je vais y arriver.

Sous la pression, la lunette se détache.

Je tombe.

Mon pied plonge dans l'eau froide de la toilette et je m'écrase sur le carrelage.

Chapitre 2-15

Je le savais !

Ce n'est pas tant une révélation que ça, finalement. Mais c'est la confirmation que nous avions raison de la suspecter. Sarah-Jade est bel et bien derrière la page Facebook. Et tout ça pour un gars ! Pfff ! Elle a vraiment du temps à perdre, elle.

D'avoir réussi mon coup ce midi me redonne espoir. Avec de la patience et un peu de chance, je sais que je peux remonter sa trace. Je peux trouver une preuve. C'est moi qui ai le vent dans les voiles !

Mais avant de *hacker* Sarah-Jade, je dois rentrer à la maison et me changer, parce qu'il y a mon soulier tout trempé qui fait scouic à chacun de mes pas. Mes orteils sont gelés. Par de l'eau de toilette.

Me salir ne me dérange pas tant que ça. Est-ce que Lara Croft sort des grottes qu'elle explore en se tortillant de dégoût parce qu'elle est recouverte de boue ? Non. Mais elle n'a jamais eu à mettre son pied au fond d'une toilette non plus.

Ça, ça me dégoûte.

Quand j'y pense, j'ai un peu mal au cœur.

Ce n'est pas aujourd'hui que j'irai courir. Tant pis. De toute façon, il y a le cinq kilomètres de l'école lundi prochain, alors je dois permettre à mon corps de faire le plein d'énergie. La belle excuse. Je me rattraperai lors de mon entraînement demain.

En arrivant devant l'appartement, je crois être victime d'une hallucination. Sam est assis dans l'escalier menant chez moi.

– Sam ? Qu'est-ce que tu fais là ?

– T'as pas l'air contente de me voir, fait-il, un peu déçu.

– Ben non. Je suis super contente ! Je suis juste… un peu étonnée, c'est tout.

Quelle belle façon d'accueillir mon meilleur ami-barre oblique-peut-être chum qui habite super loin et qui a fait tout ce chemin pour me faire une surprise.

Pire meilleure amie-barre oblique-peut-être blonde *ever* ! Bra-vo.

Faut que je me rattrape. Je dois faire quelque chose, et vite ! La première chose qui me passe par la tête, c'est de le prendre dans mes bras. En théorie, c'est hyper simple. En pratique, on est hyper maladroits. J'aurais dû opter pour la traditionnelle bine. Il va vraiment falloir que je travaille mes démonstrations d'affection.

Sam est tout autant surpris de mon étreinte que moi. Parce que c'est rarement moi qui les initie, les câlins. Je le sens se pencher légèrement vers mon visage, comme pour me donner un baiser, mais je me détourne avant que ça devienne étrange.

– Comment ça se fait que tu sois là si tôt ? As-tu foxé l'école ?

– Pédago ! On n'a plus le même calendrier.

– J'espère que ça va être correct avec mon père…

– Je l'ai appelé à son bureau. Il est d'accord. Je lui ai demandé de ne rien te dire.

– Tu as pensé à tout !

Sam est fier de son coup.

– As-tu marché dans une flaque ? dit-il en pointant mon pied.

– Ha ! C'est une longue histoire.

– M'invites-tu à l'intérieur, ou est-ce que tu vas me la conter sur le trottoir ?

En escaladant notre escalier casse-cou, Sam m'explique qu'il ne pourra pas rester aussi longtemps qu'il le pensait. Il doit repartir demain après-midi.

– Si tôt ? C'est ben poche…

Je suis sincère. Maintenant qu'il est là, j'avoue que je n'ai pas envie qu'il me quitte.

Avant de lui faire faire le tour de l'appartement, je cours me changer et lance mes souliers et mon pantalon dans la laveuse.

– Wow ! s'exclame-t-il en entrant dans ma chambre. C'est tellement…

– Tellement ?

– Tellement…

Qu'est-ce qu'il va trouver encore ? Que j'ai renié mon ancienne vie ? Que j'essaie de cacher qui je suis ? Je grogne mon impatience, ce qui le fait rire.

– C'est juste tellement toi, Laurie ! Avec le recul, ton autre chambre, malgré tout ce que tu avais accroché au mur, elle faisait petite fille. Ça faisait longtemps que ça ne te ressemblait plus. Ici… Je sais pas… J'ai l'impression de te reconnaître.

– Merci !

C'est vrai que ma chambre actuelle est une sacrée mise à jour par rapport à la précédente. Sam n'a pas tort quand il dit que l'autre avait quelque chose de petite fille. Les murs étaient encore de la couleur que j'avais demandée à mes parents pour ma fête de huit ans, un rose pouliche devenu beige avec le passage du temps.

Cette pièce est aussi bien plus fonctionnelle. Mon lit est calé dans un coin, les tablettes (installées par Yan, et qui pourraient soutenir un éléphant) sont remplies de livres et de BD. L'optimisation de l'espace donne même une nouvelle vie à mon bureau. Auparavant, il était encombré de fils, de cahiers, de traîneries et de poussière. Aujourd'hui, c'est tellement plus organisé. Ma barre de tension est fixée à un des panneaux latéraux du bureau, pour un accès facile. Chacun des câbles est bien identifié. Finalement, le routeur sans fil et le modem ont été placés à part, pour ne pas frire si jamais quelqu'un renversait quelque chose sur le bureau. C'est une question de sécurité.

Qui a envie de perdre sa connexion internet parce que quelqu'un que je ne nommerai pas, mais dont le nom commence par « p » et se termine par « apa », a renversé un verre de jus de légumes sur le modem et que celui-ci a explosé ?

Oui, ça nous est arrivé. Le jus de légumes avait grillé les connexions. Le modem était irrécupérable. Comme il y avait peu de chances que notre fournisseur d'accès internet accepte de nous l'échanger dans cet état, je lui ai donné une bonne douche pour 1) enlever toute trace de jus; et 2) essayer de faire disparaître l'odeur de tomates grillées qui s'en dégageait.

Une chance, il avait quelques années derrière lui. La compagnie n'y a vu que du feu. Le technicien venu poser la nouvelle machine avait, lui, trouvé cela un peu louche, mais n'avait rien dit.

– Je suis officiellement jaloux, dit-il en voyant comment j'ai installé ma station.

– Arrête, t'es pas à plaindre.

– J'ai hâte de voir l'effet quand tu auras trois écrans.

– Moi aussi !

Sam remarque un petit pot qui traîne sur le rebord de la fenêtre. La plante agonise, si elle n'est pas déjà morte.

– Hey ! C'était un trèfle à quatre feuilles !

– C'est pas un vrai.

– Tu as réussi à tuer une plante en plastique ? Chapeau !

– Pas « faux en plastique », mais génétiquement modifié pour avoir quatre feuilles. Il y en a aussi à cinq. Mon père l'avait commandé sur internet. Mais heu... comme tu peux le constater, j'ai pas le pouce vert.

– T'as oublié de l'arroser ?

– Plutôt le contraire. Je l'ai noyé. Avec le calorifère en dessous, je pensais qu'il avait chaud... Je pense qu'il doit me rester encore quelques graines. De toute façon, un trèfle génétiquement modifié qui a toujours quatre feuilles, ça défie un peu le principe. On est supposé le trouver par hasard.

– Sais-tu quelles sont les chances d'en trouver un ? Un vrai, je veux dire.

– À peu près une sur dix mille, je crois.

– Tu te rends compte à quel point les botanistes qui vendent cette souche ont triché ? On passe d'une chance sur dix mille à pratiquement une sur une ! Ils ont *hacké* le code génétique du trèfle.

Son analogie me fait sourire.

En plus de la course, mes devoirs et ma nouvelle tentative de trouver un lien entre Sarah-Jade et la page Facebook sont remis à plus tard. Pour les devoirs, ce n'est pas bien grave. Je pourrai m'en débarrasser dimanche soir. J'ai un peu de maths et d'anglais, mais ce n'est pas comme si j'avais vraiment besoin d'étudier. Il n'y a que quelques exercices, que je pourrai facilement remplir en regardant la télé.

Papa débarque avec du poulet et des frites, ce qui ravit nos papilles et nos estomacs. Il nous propose ensuite de nous exploser la tronche à *Mario Kart*.

– Dans tes rêves ! que je lui rétorque, en allumant la télé et la Wii U.

C'est l'échappatoire parfaite. J'adore Sam, mais notre connexion est forcée aujourd'hui. Nous le savons tous les deux. Rien n'est aussi naturel que ça devrait l'être. Chacun de nous veut parler de ce qui est arrivé, mais nous ne faisons que tourner autour du pot, évitant le sujet.

Honnêtement, je préfère remettre la discussion à plus tard. Encore un tout petit peu.

Je sais. Je suis lâche.

S'il y a des sites sur internet pour aider les parents à comprendre leurs enfants, peut-être que je pourrais en trouver un qui me dirait ce que je dois faire ?

Nous prenons tous les trois une manette et nous assoyons sur le divan. Comme toujours, papa choisit Yoshi, Sam sélectionne Mario, tandis que je jette mon dévolu sur Princesse Peach, un personnage largement sous-estimé de la franchise.

Papa est bon. Surtout aux jeux de courses. Il est dans son élément. Une fois de plus, il nous massacre. Trois fois plutôt qu'une. Sam et moi avons beau nous allier et nous acharner sur lui, il est trop fort. À croire qu'il revient pratiquer en cachette pendant ses heures de bureau !

– Faut qu'on se sauve ! que je déclare après nos trois défaites consécutives. La gang nous attend.

– Soyez sages ! nous lance mon père.

Dix minutes plus tard, un hurlement fantomatique nous accueille à La Grotte. Je salue Guillaume de la main. Margot, Charlotte et Elliot sont déjà là, qui jasent, assis autour de notre table habituelle. Ou plutôt Charlotte et Elliot jasent, tandis que Margot crayonne un dessin dans son cahier.

– Hé, Laurie ! Te voilà enfin !

– C'est qui, lui ? demande Elliot en fixant Sam, qui est un peu en retrait, les mains toujours dans les poches.

– La gang, je vous présente Sam. Sam, la gang.

– Sam... Samuel ! s'exclame Elliot en se levant pour lui serrer la main comme si c'était un ami de longue date. Tu n'as pas idée comme ça fait du bien d'avoir enfin un autre homme avec moi !

– Qu'est-ce que tu fais de Guillaume ? que je demande.

– Lui ? Il ne compte pas vraiment, répond-il.

– C'est fin, ça, dit Margot.

– Fais-toi-z'en pas pour moi, répond Guillaume sans lever les yeux de son écran. Ça fait longtemps que je n'espère plus une réplique intelligente de sa part.

– Ohhhhhh ! ! ! s'exclame-t-on tous ensemble.

– Oh, *man* ! fait Elliot en se prenant la poitrine comme si on venait de lui tirer en plein cœur. Pourquoi ?

La chimie opère entre la gang et Sam et lui permet de s'intégrer avant même qu'il ait eu le temps d'enlever son manteau. Faut croire que nous étions destinés à nous entendre !

– Vous vous connaissez depuis toujours, pas vrai ? demande Charlotte.

– Ouais... répond Sam.

– Il n'y a personne d'autre qui la connaît mieux que toi ?

– Même pas son père, dit-il fièrement.

– Donc, j'ai raison de croire que tu connais tous ses secrets, dit Charlotte.

– Pas mal, oui.

– OK. Go. Dis-nous tout !

– Eille ! Je suis juste à côté !

– Chut ! On parle avec Sam, me coupe-t-elle.

– Sam ! Non ! Je t'interdis !

J'essaie d'empêcher Sam de répondre en lui plaquant les mains contre sa bouche. Peine perdue. Il m'attrape dans une clé de bras. Dans un retournement de situation que j'aurais dû voir venir, c'est lui qui m'empêche de parler.

– Qu'est-ce que vous voulez savoir ? demande-t-il, hilare.

Charlotte et Elliot en profitent :

– Entre Bieber et Yoan, elle préfère qui ?

– Est-ce qu'elle a eu une phase pouliche ?

Je liche la main de Sam.

– Ark ! crie-t-il.

– Moi, non, mais lui, oui !

– Ah ha ha ! rient-ils.

S'y mettre à quatre contre un ! C'est absolument déloyal. Une chance, les questions sont plutôt inoffensives à date. Elles me font autant rire que rougir. Samuel jubile de pouvoir en raconter autant sur moi. Après tout, il me connaît sur le bout de ses doigts.

C'est Margot qui pose « la » question :

– Est-ce que vous vous êtes déjà embrassés ?

Sam est bouche bée. Celle-là, il ne l'avait pas vu venir. Moi non plus. Surtout pas de la part de Margot. Ç'aurait plutôt été du genre à Charlotte.

J'en profite pour me libérer enfin de la prise de lutte dans laquelle Sam me retient.

Celui-ci hésite un peu trop longtemps, me lançant un regard de biais pour savoir s'il doit répondre à la question.

– Ahhhh ! Vous avez tellement *frenché*, vous deux !

Si mon visage n'était pas déjà rouge comme une tomate de m'être battue avec Sam, il est certainement rendu écarlate. Ça y est. Pourquoi est-ce si difficile de savoir ce que je ressens réellement envers mon meilleur ami ? Est-ce que je veux qu'il soit mon chum ou pas ? C'est simple, non ?

– Ben là ! insiste Elliot. Racontez-nous !

Sam prend une inspiration, ouvre la bouche pour répondre, mais je le devance :

– Ça fait longtemps. On était en sixième année.

– Ouhhhh ! fait Elliot en prenant la perche. Est-ce qu'elle embrasse bien ?

Sam vient à mon secours :

– Voyons ! Un *gentleman* ne parle pas de ce genre de choses, Elliot.

– Ah *come on* ! implore ce dernier.

Je suis soulagée que Sam ne me corrige pas pour dire que la dernière fois qu'on s'est embrassés, c'était il y a deux semaines, quand je suis allée passer une fin de semaine chez lui. Honnêtement, je ne saurais pas quoi dire.

– De toute façon, on était juste en sixième année, poursuit mon meilleur ami. C'était moins un *french* qu'un long bec sur le bout des lèvres. Si je me souviens bien, c'est arrivé au cours de l'anniversaire d'une fille qui était dans notre classe.

– Marion, que je précise.

– Et Océanne avait organisé une partie de bouteille dans le sous-sol, parce que Marion tripait sur Oli, mais qu'elle était trop gênée pour lui dire.

– Elle avait fini par obtenir son souhait. Ils avaient passé, quoi, dix minutes dans le garde-robe à s'embrasser ?

– Plus comme une demi-heure, me corrige Sam. Quand ils sont enfin sortis, Marion avait tout le tour de la bouche irrité.

– Ouache ! fait Charlotte en riant.

Margot est d'un autre avis :

– Ça devait être romantique, de s'embrasser comme ça dans la pénombre…

– Je pense que c'était plutôt entre les vieux manteaux de ski, que je dis.

Nous passons une heure à parler et à rire. Il n'y a pas une seule seconde de silence, chaque histoire ou anecdote en appelle une autre. Sam et Elliot s'unissent naturellement pour contredire Charlotte sur les sujets les plus insignifiants.

L'heure passée à jaser dans La Grotte est tout simplement fantastique. Déjà que cet endroit est celui où je me sens le plus à l'aise après chez moi, d'être ici avec mes meilleurs amis semble faire disparaître tous mes problèmes. Quand Elliot décrit l'explosion de la bombe à paillettes survenue ce midi, j'en oublie que mon père essaie de me cacher qu'il a peut-être une nouvelle femme dans sa vie; quand Charlotte raconte comment on a fait croire à Elliot que nous n'étions pas intéressées par l'idée de former une équipe pour le tournoi de la *Ligue*, tous les emmerdements causés par Sarah-Jade deviennent insignifiants; quand Margot nous montre le portrait de Sam qu'elle vient de dessiner sans même que nous nous en rendions compte, on fait tous wow! Parce que, vraiment, wow! Margot est juste trop bourrée de talent. Et quand Sam raconte nos meilleurs moments ensemble, il me fait craquer un peu plus pour lui.

Elliot essaie alors d'impressionner Samuel en lui relatant, avec moult détails, la fois où il pense avoir joué pendant dix grosses secondes avec Patrick Lemieux.

– Tu savais qu'avant de passer pro, il a été courtier à la Bourse de New York? avance Sam.

– Qui? Lemieux? demande Elliot, avide d'en savoir plus sur son idole.

– Oui! Il aurait trouvé une faille dans un des systèmes informatiques. Au lieu de la rapporter aux autorités financières, son patron lui aurait fait développer un programme pour exploiter la faille, lui donnant une microseconde d'avance sur les échanges. En finance, aussi bien dire une heure! L'opération était périlleuse et Lemieux risquait de se retrouver en prison s'il se faisait pincer. Ça devait sentir la soupe chaude, parce qu'il aurait passé une entente avec le FBI. Sauf que celui-ci a voulu saisir les comptes du patron, et tout était vide. L'argent avait mystérieusement disparu.

Depuis son comptoir, Guillaume nous dit :

– Vous savez ce que j'ai lu sur les internets, moi ? C'est que Lemieux était derrière un programme de gestion de paye, le genre qui dépose la paye des employés à la banque. Et il l'aurait configuré pour prendre des fractions de sou sur le chèque de dizaines de milliers de travailleurs. Les sommes étaient transférées instantanément dans une principauté européenne, genre Liechtenstein. Mais bon, on s'entend que ce ne sont que des rumeurs. Allez pas croire tout ce qu'on lit sur internet !

Ça me rappelle quelque chose, mais je n'arrive pas à mettre le doigt dessus. Nous restons là à réfléchir à ce que Guillaume vient de nous conter.

– Pendant qu'on visite la machine à rumeurs, reprend Elliot, c'est moi qui ai la meilleure. J'étais sur un blogue, cette semaine…

– Lequel ? demande aussitôt Charlotte.

– C'est pas important, dit-il, cherchant à éviter de répondre.

– Es-tu encore retourné sur ton site de débiles ?

– Quel site de débiles ? que je demande.

– Monsieur s'amuse à se promener sur le *dark net*.

– Des fois. Pas souvent. Pis c'est juste pour voir ce qui se trame, se défend-il. Inquiétez-vous pas, je fais attention.

Du coin de l'œil, je vois Guillaume qui hoche la tête en désapprobation. Par contre, il ne le rabroue pas. Il a déjà dû le prendre à part pour le mettre en garde.

– De toute façon, le nom du site est pas important. Ce que j'ai lu, c'est qu'au début de sa carrière de gamer, Lemieux aurait été recruté par les services secrets.

– Ah ha ha ! Voyons donc, les services secrets !

Tout le monde rit.

– N'importe quoi ! commente Margot.

– Je sais. Je ne dis pas que j'y crois. Je vous rapporte seulement ce que j'ai lu. Ne tirez pas sur le messager.

Même Sam, qui se rangeait du côté d'Elliot, n'en revient pas.

– Attends, attends. On parle bien du même Patrick Lemieux, star internationale, vedette du jeu vidéo, et qu'on voit au bras des plus beaux mannequins sur les tapis rouges ? Il a quand même un visage assez connu. Pas super pratique pour un espion, dit-il.

– Je ne dis pas le contraire. Mais à ce compte-là, il y a bien des espionnes russes qui ont fait des défilés de mode. Pourquoi est-ce qu'un gars de chez nous ne pourrait pas être gamer professionnel, avoir sa boîte de jeux… et être espion ?

C'est vrai. Pourquoi pas ? Pas que je lui donne raison. Mais qu'est-ce que ça impliquerait que Lemieux, le patron vedette d'un studio en pleine croissance, travaille secrètement pour une agence gouvernementale ?

– Crois-tu que son statut lui donnerait un avantage ? que je demande à Elliot.

– Absolument. Accès à des gens de pouvoir, à des dossiers *top secret*, à des endroits où le commun des mortels ne peut pas pénétrer, énumère-t-il. Pensez-y un instant.

– Patrick Lemieux, alias Kilpatrick, alias... IXE-13, dit Guillaume d'une voix grave.

On l'interroge du regard sans comprendre.

– IXE-13... L'espion canadien-français ? Les Cyniques ? Louise Forestier pis Marc Laurendeau ? *Come on !* Les Cyniques, c'est comme les Beatles de l'humour. Ah... Pis laissez donc faire, déclare-t-il en se levant de sa chaise au moment où le fantôme annonce un nouveau client.

– Pas que j'y croie, mais je trouve que c'est une théorie intéressante. C'est la plus originale, en tout cas. Il serait quasi intouchable. C'est un gamer de haut niveau, un programmeur talentueux, probablement un peu *hacker* sur les bords. Le gars est tellement public que c'est trop risqué de s'en prendre à lui. Combien de fans, de *hackers*, de blogueurs, d'écrivains enquêteurs ou de journalistes indépendants, et ça, ce serait en plus des forces policières, de la NSA, de la CIA, d'Interpol et du SCRS, seraient aux trousses des assassins ? Vous vouliez une bonne rumeur, je pense que c'est moi qui ai la palme, déclare Elliot, triomphant.

Ça tient presque debout, cette théorie bidon.

Chapitre 2-16

Un peu passé 21 heures, Guillaume nous met à la porte de La Grotte.

– Déjà ? se plaint Elliot.

– Devine qui doit ouvrir le magasin demain matin ? lui répond-il.

Guillaume est toujours présent ici. Encore plus que nous ! Oui, bon, c'est lui le proprio, il a une bonne excuse pour traîner dans la place. Sa présence constante entre ces quatre murs donne parfois l'impression qu'il n'a pas de vie à l'extérieur.

– Une quoi ? me demande-t-il, quand je lui fais la remarque.

Je ne suis pas sûre s'il est sarcastique ou pas.

– Je suis contente d'avoir pu te rencontrer, Samuel, lui dit Charlotte sur le trottoir, aussitôt imitée par Margot.

– Moi aussi.

Les deux filles lui donnent un bec sur la joue, tandis qu'Elliot le prend dans ses bras et lui donne de grosses tapes supposément viriles dans le dos.

– Sam, me laisse pas tout seul ! dit-il, théâtral. D'être toujours avec juste des filles, mon corps est en train de se découvrir un cycle menstruel.

– Avoue que tu aimes ça, lui répond Sam. Être avec juste des filles, je veux dire.

– Ahhh… Je suis démasqué. Elles sont trop *cool*.

Quand nous arrivons chez moi, l'appartement est sombre et silencieux. Il est encore tôt; la partie de hockey n'est toujours pas terminée. Papa ne sera pas de retour avant deux bonnes heures.

Sam me regarde, un sourire en coin.

– *Ligue ?* me propose-t-il.

Comme si j'allais refuser !

Avec Guillaume, nous avons joué une tonne de parties sans nous arrêter. Ce fut un massacre ! En équipe de trois, nous nous sommes tirés dessus pendant près de deux heures. Comme le match était privé, il n'y avait que nous six. Nos avatars ont dû mourir une centaine de fois chacun, pour aussitôt réapparaître et se relancer dans la mêlée.

À un moment donné, Sam s'est acharné sur Elliot avec un poignard comme seule arme. Elliot, qui, lui, était armé de sa mitraillette, n'en revenait tout simplement pas que Sam arrive à le surprendre et à l'humilier aussi souvent.

– Oh mon Dieuuuu ! Je peux pas croire qu'il m'a encore eu ! Arrêêête ! Nooon ! Rrogntudjûûû !

C'était hilarant d'entendre Elliot chialer !

Sam et moi nous connectons aux serveurs de KPS et cliquons sur *Terra I*. Nous nous sommes amplement exercés à La Grotte. Il est l'heure de passer aux choses sérieuses.

Grâce à notre jet, que Sam a choisi de baptiser *Thorondor*, nous voguons au-dessus des nuages. Personnellement, j'aurais choisi un nom un peu moins parlant, un nom qui ne donne pas autant d'indices sur la position de notre base secrète.

– Dès qu'un joueur va faire un plus un, elle n'aura plus rien de secret et ce ne sera plus qu'une base, que je fais remarquer à Sam.

– Arrête de capoter, me réplique Sam.

Il a sorti son argument massue, à ce que je constate. Je soupire et laisse tomber le sujet.

La nuit virtuelle est noire, illuminée seulement par les étoiles. Sous l'avion, les nuages se font de plus en plus denses. Il doit pleuvoir à verse au sol.

Avoir un jet dans son attirail, c'est vraiment agréable. Parce qu'en moins de deux, Sam2dePique et Stargrrrl ont quitté le secteur. Et puisque c'est un ADAV, un avion à décollage et à atterrissage vertical, nous ne sommes pas contraints de trouver une piste d'atterrissage. Sam peut le déposer à peu près n'importe où, tant que l'endroit est dégagé. Justement, il le pose à moins d'un kilomètre d'une ville que nous nous apprêtons à explorer.

– Tu ne penses pas que quelqu'un va le voir et partir avec lui ? que je lui demande, un peu inquiète pour nos ailes.

– Ha ! Regarde bien ce que j'ai découvert.

Sur le bras gauche de son mercenaire est attaché un dispositif électronique à peu près gros comme une main. Sam2dePique tape quelques commandes sur le petit écran. La porte-cargo hydraulique se referme et les moteurs se remettent en marche. Puis le jet décolle sous la pluie battante et va se cacher derrière les nuages.

– Avec ce bidule, je peux le piloter à distance.

– *Nice !*

Ce jeu ne cessera de me surprendre !

Avec toute cette pluie, il est difficile de voir ce qui se passe dans la ville. Pendant un moment, nous croyons même être seuls. Les traces de combats récents sont apparentes. Des feux brûlent à travers la ville. Plusieurs immeubles sont encore la proie d'incendies et diffusent une lumière orangée.

Des coups de feu nous parviennent, difficilement reconnaissables avec la pluie ambiante. C'est Sam qui les entend le premier. S'il ne me l'avait pas fait remarquer, jamais je n'aurais reconnu le claquement caractéristique des détonations. Et même là, je ne suis pas certaine de pouvoir les distinguer du tonnerre qui gronde au loin.

Nous avançons à tâtons dans ce décor urbain apocalyptique : centre-ville abandonné, gratte-ciel éventrés, rues bloquées par les décombres. Proposition classique, mais toujours diablement efficace.

Les tirs se rapprochent.

– Embuscade, qu'on se propose au même moment.

Stargrrrl traverse la rue et se met à couvert au coin d'un immeuble, tandis que Sam2dePique se planque derrière une voiture renversée.

Soudainement, cinq avatars arrivent en trombe; ils courent et crient. Leur langue m'est étrangère, je n'arrive pas à comprendre un mot de ce qu'ils se disent. Tout ce que je sais, c'est que c'est la déroute. La panique est un langage universel. Pas besoin de traducteur pour saisir ça.

Les cinq mercenaires se planquent, prennent position là où ils peuvent. Ils ne nous visent pas. Ils nous font dos. Ils pointent tous en direction opposée. Leurs micros sont ouverts et, à les entendre, quelque chose ne va pas, mais pas du tout. Peut-être viennent-ils de perdre un camarade ? Ils vont être vraiment surpris et déçus quand Sam et moi allons ouvrir le feu.

Puis le bavardage cesse. Ils retiennent leur respiration.

C'est le moment de passer à l'attaque. Je fais signe à mon camarade et nous les mettons en joue. Mais nous ne tirons pas. Ces avatars ne sont pas tombés dans notre embuscade, ils fuient. Et avec raison !

De la rue d'où ils proviennent, cinq nouvelles silhouettes émergent dans la pénombre, la faible lumière reflétant sur leur carapace. Au travers de la lunette de mon fusil, je vois les câbles, les puces, les membres de métal tenant les fusils mitrailleurs.

Les avatars retranchés ouvrent le feu. Leurs balles ne font que peu de dommage et rebondissent sur les armures métalliques. Ils concentrent leurs puissances de tir sur l'un des androïdes, parvenant à lui arracher une jambe de peine et de misère. Le robot tombe au sol. Alors que les avatars en profitent pour recharger, les autres monstres de métal ripostent.

Il n'y a pas de compétition. L'arsenal des robots est trop fort. Deux des androïdes ont un fusil automatique générique ressemblant à celui de Sam, un autre est équipé d'un minigun, une mitrailleuse à cadence de tir élevée pouvant canarder de deux à six mille coups par minute.

Ici, les mots clés sont : « cadence », « tir » et « élevée ».

OK. Ai-je besoin de préciser que j'ai zéro envie de vérifier si cette arme est vraiment capable de faire feu jusqu'à six mille fois par minute ? Il n'y a absolument aucun risque que je reste pour affronter ces machines.

Et ce n'est pas tout !

Le cinquième robot a une arme que je n'ai encore jamais vue. Le canon est décoré d'une multitude de petites diodes bleues. C'est *cute* comme tout. Ça envoie aussi un éclair magnétique qui pulvérise un des avatars, celui qui venait de décider qu'il était préférable de prendre ses jambes à son cou plutôt que de rester pour affronter ces créatures cybernétiques. De ce brave mercenaire, il ne reste qu'une bouillie informe fumant sous la pluie.

Ouais, très *cute*.

On est tellement cuits !

Les machines de guerre ouvrent le feu sur les pauvres avatars devant nous. Si les balles des mitraillettes pétaradent sur le ciment et la tôle, le minigun n'en a que faire, de ces obstacles. Ses projectiles transpercent tout sur leur passage et ne font qu'une bouchée des avatars de ces pauvres imbéciles ayant cru bon leur livrer bataille.

– Coupe ton micro, que je murmure à Sam en couvrant le mien d'une main.

– Quoi ? dit-il trop fort.

Eh merde…

Les robots détectent notre présence, braquent leurs armes vers nous et se rapprochent.

En quelques clics, j'ouvre l'inventaire de Stargrrrl, sélectionne mes trois grenades fumigènes, que je dégoupille et lance un peu passé la voiture où Sam est planqué. Je compte jusqu'à trois, espérant qu'il y ait assez de fumée pour me camoufler, sors de ma cachette armée de mon lance-grenades – de vraies grenades qui font boum –, et tire en plein milieu du groupe de robots.

J'espère produire une explosion juste devant eux, afin que les débris les endommagent et que, dans la confusion – peut-on confondre un robot ? –, nous puissions battre en retraite, mais je n'ai pas le temps de viser. L'angle est trop important. Par chance, la grenade frappe plutôt le robot tenant le canon rotatif en pleine tête. Le résultat doit être charmant. Pour être honnête, je ne prends pas le temps de jeter un coup d'œil.

Stargrrrl fonce, Sam2dePique à ses côtés. On se pousse ! Si nous pouvions courir plus vite, nous flotterions sur les nombreuses flaques.

Contre des joueurs, nous aurions sûrement tiré à l'aveuglette derrière nous pour couvrir notre fuite.

Contre des robots, j'ai bien peur que ce soit inutile. Les robots ne connaissent pas la peur.

Moi, oui.

Ce qui se présente devant nous me glace le sang.

Cette bête mécanique doit faire deux fois la taille de ses amis. Elle me rappelle vaguement un ED-209... en mille fois plus menaçant. Son corps est muni de deux bras géants, qui ne sont que des armes assemblées les unes aux autres. J'entrevois des canons rotatifs (bien sûr) d'un calibre supérieur à ce que l'androïde derrière nous tient dans ses mains. Ça, je n'en ai aucun doute. Il a probablement aussi des lance-roquettes, lance-flammes, lance-grenades et toutes sortes d'autres lances-quelque-chose que je n'ai aucune envie de découvrir.

Avant que ce nouveau robot puisse nous prendre pour cible, je plaque Sam2dePique et l'envoie valser dans la rue à notre gauche.

Les balles fendent l'air là où nous nous trouvions un instant plus tôt. Un des androïdes à notre poursuite en prend plein la gueule et explose en mille morceaux.

Toujours en mouvement, je cours en direction de cette menace sur deux pattes. Droit sur lui. Pour ne pas perdre de précieuses secondes, je laisse tout simplement tomber mon fusil de *sniper* au sol et saisis dans mon inventaire un paquet spécial.

Le monstre métallique est imposant et lent à réagir. Il tarde à verrouiller un signal sur moi – pour mon plus grand bonheur, car je suspecte qu'une seule de ses balles aurait raison de Stargrrrl. De constater que j'ai toujours un quart de seconde d'avance sur lui me donne confiance. Rendue à deux mètres, Stargrrrl glisse au sol, telle une joueuse de baseball tentant de voler le marbre, et ressort indemne derrière le robot.

Sachant Stargrrrl dans son angle mort, je la relève et la fais courir encore quelques mètres. Je prie pour qu'il n'ait pas d'arme dans le péteux ! Puis je pèse sur l'interrupteur du détonateur qui se trouve dans la main de Stargrrrl.

Grâce à son sceau magnétique, le paquet adhère parfaitement au monstre. L'explosion lui déchire les entrailles. Les jambes du robot cèdent sous son poids et le monstre s'écrase au sol.

Ça marche à tous les coups !

– Laurie, viens ! me crie Sam, même s'il est à côté de moi dans ma chambre.

Stargrrrl continue de courir. Elle s'éloigne de Sam2dePique. Si nous restons ensemble, on va se faire descendre. J'ai plus de chances de survivre si je suis seule. Lui aussi.

– Laurie ! répète-t-il en voyant que je ne reviens pas sur mes pas. Où tu vas ?

– Je vais les attirer. Va-t'en !

– Je ne te laisse pas ici toute seule. C'est pas vrai !

– Va-t'en, Sam. Maintenant !

– Je vais revenir te chercher, me promet-il.

Sa réplique est enterrée par le bruit des balles tirées par les androïdes qui sifflent à mes oreilles.

Perdre les androïdes dans le dédale des rues de la ville se révèle être une mission difficile, mais pas impossible. Leur position est trahie par leurs lourds pas métalliques. De plus, ils ne sont pas si rapides. Bien vite, je constate qu'ils ne sont plus aux trousses de Stargrrrl. Peut-être est-elle trop loin pour être détectée par leurs senseurs ?

Naturellement, c'est à ce moment que deux robots apparaissent devant moi. En cherchant à les perdre, c'est moi qui me suis égarée. J'ai dû revenir sur mes pas. Je suis si près d'eux que je peux voir le détail de leurs circuits électroniques.

L'androïde le plus près de Stargrrrl, celui qui tient ce qui pourrait être un canon à plasma, lève le bras dans le but évident de la désintégrer. Plus rapide que Jackie Chan, mon avatar attrape le bras du robot et le pousse en direction de son compagnon, dont les circuits ne résistent pas à l'impulsion électrique. Le bras du robot en main, j'utilise le mur pour bondir et l'entraîner avec moi dans un salto arrière. Ses joints se rompent sous la torsion. Dès que les pieds de Stargrrrl touchent le sol, elle se retourne et, à l'aide du bras et du canon, elle assène un coup de circuit sur la tête de l'androïde, qui est propulsée de l'autre côté de la rue.

Je me fais une note mentale : bonne armure, mauvais joints.

Malheureusement, le coup de circuit a aussi détruit le canon. Quelques étincelles s'en échappent avant que les diodes ne s'éteignent. J'abandonne le fusil, ainsi que le bras qui le tient toujours en main, et cours vers le gratte-ciel le plus près.

– J'embarque dans *Thorondor*, m'informe Sam. Où est-ce que tu te trouves ?

– Dans un gratte-ciel en construction. L'extérieur est tout noir.

– C'est la nuit et il pleut ! Ils sont tous noirs, qu'il me réplique.

– Je me rends sur le toit. J'allumerai mes fusées pour te guider.

– Bien reçu, me confirme-t-il.

Stargrrrl grimpe les escaliers à une vitesse folle. Aucun robot ne la suit… à ce que je sache. Tout de même, chaque cinq ou six paliers, je fais pivoter Stargrrrl, pointant ses deux revolvers de service vers les étages inférieurs.

Rien.

Le dernier palier accessible, celui du trente-deuxième étage, me mène à l'extérieur. Sur un côté du gratte-ciel, les poutres de la structure s'élèvent vers le ciel. L'autre moitié a été arrachée. Une dizaine d'étages n'ont pas pu être complétés avant le début de la guerre. Je décris ce que je vois à Sam, allume toutes les fusées de détresse en ma possession et les éparpille sur le toit.

S'il n'aperçoit pas mes signaux lumineux, je suis réellement foutue.

– Je m'en viens, me dit-il. Heure prévue d'arrivée : deux minutes.

Deux minutes ! Avec ce monstre mécanique aux fesses, c'est une éternité.

La pluie tombe toujours, indifférente au sort qui attend mon avatar. Tout en bas, je peux entrapercevoir la ville. Les détails au sol se perdent dans la distance et les averses.

Sam et moi venons de croiser deux nouveaux ennemis qui étaient inconnus à l'univers de la *Ligue*. Les rumeurs sont donc vraies ! Ce sont ces monstres métalliques qui sont responsables des récents carnages dans *Terra I*. Étrangement, aucun des gamers les ayant rencontrés n'avait pu fournir de description des assaillants.

Cette fois-ci, un bruit parvient jusqu'à mes oreilles. Régulier. Méthodique.

– Sam...

– Je m'en viens.

– Sam !

– Je te vois. Je suis presque là !

L'androïde ne me suivait pas dans la cage d'escalier. Trop exiguë pour lui. Trop de chances que je lui balance une grenade sur le pif. Son cerveau positronique n'est pas bête.

Je m'approche de la paroi. Il est là, je le vois. L'image est terrifiante. Le robot escalade la paroi de l'immeuble, enfonçant ses pieds dans le ciment, s'accrochant aux poutres.

– Dépêche-toi !

Il me reste deux grenades. J'en dégoupille une première et la laisse tomber. L'androïde se colle contre le mur de l'immeuble et l'esquive. Avant qu'elle ne touche le sol et explose, je lance la seconde grenade avec plus de force, mais le robot se déplace sur le côté. Dans un vain espoir, je vide mes chargeurs sur lui, mais les balles ricochent sur son armure et produisent à peine des étincelles.

Mais où est donc Sam ?

Sur le toit, il n'y a nulle part où cacher Stargrrrl. Prise au piège, je m'apprête à sauter en bas de l'immeuble. Peut-être que Sam pourra me récupérer en plein vol comme je l'ai fait pour lui...

Ben oui.

Sam a beau être un excellent pilote, je ne suis que sur un tout petit gratte-ciel. Même du haut du Burj Khalifa, je ne crois pas que la manœuvre serait réalisable.

Je recule le plus près possible de la paroi.

L'androïde se hisse sur la surface du trente-deuxième étage et avance vers moi, ses articulations mécaniques criant à chaque pas.

La pluie redouble d'intensité. Scène dramatique oblige, un éclair déchire le ciel au loin.

– Couche-toi ! me crie Sam, et aussitôt, je me lance sur le plancher de béton.

Thorondor passe au-dessus de Stargrrrl, l'évitant de peu, et frappe l'androïde de plein fouet. Sous la force de l'impact, celui-ci est fracassé. Une partie de son corps robotique est dispersée sur l'étage tandis que le reste est disséminé au vent.

– C'était un peu juste, tu ne trouves pas ?

– De rien, Laurianne. Ça m'a fait plaisir, Laurianne, me dit Sam.

– Merci !

Pendant que Sam pose *Thorondor*, gracieuseté du système ADAV, j'inspecte les pièces du robot à la recherche d'un indice.

– Laurie, on y va ! Je viens de détecter plusieurs cibles sur le radar.

– Une seconde...

La tête de l'androïde ! Je la ramasse et embarque par la porte-cargo située à l'arrière de l'aéronef.

Chapitre 2-17

Ce samedi matin a des airs de déjà-vu.

Quand je me réveille, Sam et mon père sont dans la cuisine, papa en train de lire le journal sur sa tablette tandis que Sam est absorbé par un roman d'Ernest Cline qu'il a pigé dans ma bibliothèque. Une délicieuse odeur de café flotte dans la pièce.

– Allo...

– Salut, la marmotte ! fait mon père.

– Ça fait longtemps que vous êtes debout ? que je demande d'une voix pâteuse.

– Au moins deux heures, répond Sam. Savais-tu que tu ronflais ?

– Je ne ronfle pas ! que je dis, insultée.

Il blague, j'en suis sûre. On ne m'a jamais dit que je ronflais. Je le saurais, non ? Je préférerais de loin être somnambule ou parler dans mon sommeil que de ronfler.

– Juste un petit ronflement *cute*, précise-t-il avant de m'imiter.

Papa confirme d'un hochement de tête.

– Ben toi, tu pètes dans ton sommeil, que je dis pour me venger, ce qui les fait bien rire.

Mon ventre gargouille. Ce n'est pas étonnant. L'avant-midi est bien entamé.

– Veux-tu un bol de café au lait ? me demande mon père.

– Ça dépend qui le fait ? que je dis, zieutant mon ami.

Je me rappelle trop bien l'horrible mixture que Sam a concoctée chez lui il y a deux semaines. Plus jamais !

– Est-ce que je dois saisir un message caché ? demande Sam en refermant son livre.

– Je vais seulement dire ceci : je préférerais boire de l'huile de ricin tous les matins plutôt que d'avoir à tremper mes lèvres ne serait-ce qu'une fois encore dans ce que tu penses être du café.

– Je vais m'en souvenir, Laurianne Barbeau, dit-il, faussement insulté.

Mon père dépose devant moi un bol de café au lait fumant et nous parle du match de hockey qu'il a regardé en compagnie de Yan. Sam y va de sa théorie sur la plus récente défaite. Mon père en rajoute. Sam surenchère en parlant de la blessure dans la région du haut du corps d'un joueur quelconque. Deux vrais gérants d'estrade ! À les écouter parler, l'organisation devrait les embaucher pour remplacer l'entraîneur-chef et le directeur général. Ils pensent avoir réponse à tout, que ce soit sur les meilleurs trios ou les joueurs à libérer de leur contrat.

– C'est plaaaate ! que je dis avant de me rendre compte que j'ai parlé tout haut, alors j'ajoute en souriant : Oups ! Je me suis trompée de volume.

Le hockey professionnel, très peu pour moi, merci.

J'emprunte la tablette de mon père et recherche de l'information à propos des androïdes que nous

avons croisés hier soir. Le site de KPS est muet. Les blogues, eux, recensent une multitude d'attaques pendant
la nuit. Les plus optimistes évaluent le nombre d'avatars tués à deux ou trois cents, les plus pessimistes
vont jusqu'à mille. C'est énorme ! Layveke1922 chiffre
les pertes en matériel à un peu moins d'un milliard
de crédits, soit près de quarante-cinq mille vrais
dollars.

Malgré le nombre de combats, personne n'est en
mesure de produire une image nette. Dans le feu de
l'action, les rares joueurs qui s'en sont sortis vivants
n'ont pas eu le réflexe de prendre une capture d'écran,
et ceux qui enregistraient leur partie n'avaient que des
images floues à produire. À croire que les androïdes
sont en mesure de brouiller les ondes.

Je ne sais pas trop. Ce qui est clair, c'est que
quelqu'un chez KPS ne veut pas que l'information
sorte trop vite.

La minuterie du four sonne. Sam ouvre celui-ci et
en tire une casserole œufs, bacon, champignons, qu'il
dépose sur la table.

– Attention, c'est chaud !

L'eau me monte à la bouche.

– Menoum ! Ça a l'air bon…

Pendant que papa commence à nous servir, Sam
sort une plaque du four et distribue dans chacune
des assiettes des demi-tomates recouvertes de cha-
pelure, d'herbes et d'un peu de parmesan.

– J'ai presque oublié ! dit-il en se relevant.

Sam a aussi préparé une pleine casserole de sauce bénédictine « *full* de beurre » pour accompagner les œufs.

– Mmmmm ! Délicieux, commente mon père dès la première bouchée. Tu devrais revenir plus souvent, Samuel. Allez-vous passer l'Halloween ce soir ?

– Papa, on n'a plus six ans.

– Si je me souviens bien, il n'y a rien au monde qui allait vous en empêcher l'an dernier. Pas même le déluge qui nous est tombé dessus.

– Oui, mais ça, c'était l'an dernier.

Tant de choses ont changé en un an. C'était il y a une éternité. Donc non, je ne vais pas me déguiser pour courir d'une maison à l'autre quêter un sac de bonbons dont je ne mangerai que les minitablettes de chocolat jusqu'à m'en rendre malade, et dont le reste du butin sera composé de suçons *cheap* et de Rockets que mon père sera pris à emporter à son bureau avant que ça se gâte.

– Ma mère a préparé une cinquantaine de sacs-surprises pour les enfants du quartier, dit Sam, mais je suis pris pour faire la distribution. Après ça, je vais rejoindre la gang. Félix organise un party chez lui ce soir.

– Il est toujours avec sa blonde ?

– Aux dernières nouvelles. Ça va peut-être changer d'ici ce soir. Ils sont assez intenses, ces temps-ci.

– C'est quoi son nom à elle, déjà ?

– Aucune idée, répond Sam un peu gêné. Depuis le temps qu'ils sortent ensemble, je passerais pour un beau zouf si je lui demandais comment elle s'appelle. S'il n'est pas trop tard, je vais essayer de faire une couple de maisons en allant chez Félix. Toi, as-tu quelque chose ?

– Oui, on s'est fait inviter chez un gars de secondaire quatre.

– Tu te tiens avec des gars de secondaire quatre ? disent Sam et mon père.

Tiens, tiens, tiens… Est-ce que Sam serait jaloux de mes fréquentations ? Quant à mon père, je peux bien croire que je n'ai jamais exhibé d'intérêt romantique pour les garçons, il devait bien s'attendre à ce que ça arrive un jour. Ça vient de le rattraper. Que dirait-il s'il savait que mon chum – c'est vraiment *weird* d'utiliser ce mot pour désigner mon meilleur ami – est ici devant lui ?

– Je ne me tiens pas « avec ». Simon, c'est le *kick* de Margot. Il nous a invités hier.

Cette information cruciale semble les rassurer tous les deux. Je ris dans ma barbe.

Quant à papa, ses plans ne sont pas encore coulés dans le béton. Soit il va chez Yan pour prendre une bière et regarder le match de ce soir, soit Yan vient ici et ils regardent le match en prenant une bière.

– C'est excitant.

Not.

En milieu d'après-midi, juste avant que Sam parte, papa lui offre d'aller le reconduire au terminus d'autobus.

– C'est gentil. Dérangez-vous pas. C'est pas très loin... Je peux marcher.

– Comme tu veux. Prends soin de toi, Samuel. Tu salueras ta mère pour moi.

– Je t'accompagne, que je dis en attrapant mon manteau.

Après un coin de rue, il est clair que Sam retombe dans ses vieux *patterns*. Peut-être que ça a à voir avec la séparation ? Chaque fois qu'on se quitte, il devient... distant. Il ne fera pas de *move*. Ou, s'il en fait un, ça viendra trop tard. Genre qu'il aura déjà un pied dans l'autobus.

Je sais ce que je dois faire. Pourquoi mon cœur bat-il aussi vite soudainement ?

Go !

Je saisis sa main, soulagée de sentir ses doigts s'entremêler aux miens. Nous marchons ainsi en silence jusqu'au terminus.

Sur le quai, cette fois, ce n'est pas un accident. Personne ne s'enfarge, ne perd l'équilibre ou rien de tout ça. On se regarde. Il me touche le bras. Je m'approche de lui. Son autre main se balade dans mon dos. Je me lève sur la pointe des pieds et l'embrasse.

Il fallait s'y attendre, nous sommes plutôt maladroits. Mais ça s'améliore. On est un tout petit peu moins nuls que la dernière fois.

Si des extraterrestres nous observent, ils se demandent sûrement pourquoi les humains échangent de la salive pour démontrer leur affection. Quand on y pense, c'est un peu dégueu.

Lorsque l'autobus de Sam démarre, un sourire me fend le visage en deux et de drôles de papillons valsent dans mon estomac. Je ne peux m'empêcher de tous les ramener à l'appartement.

Je n'avais pas beaucoup pensé à l'Halloween, cette année. Si ce n'était des citrouilles sur les balcons, je pense que je me serais réveillée le 1er novembre sans même réaliser que la fête était passée. Habituellement, avec Sam et la gang au village, c'était l'occasion de se déguiser en zombies sanglants en classe, d'essayer de se faire le costume le plus débile, pour toujours se faire battre par Félix. Pas étonnant qu'il tienne tant à organiser un party, c'est lui le roi des déguisements !

Donc, cette année, avec tout ce qui est arrivé, je n'ai pas de costume spécifiquement pour l'Halloween. Mais... il y a quelque chose que j'avais commencé à préparer au mois de juin dernier en vue des *comicons* de l'automne.

Je sors le pantalon noir et rouge, le bustier noir que j'ai acheté avec Sam et que je ne mets pas à l'école parce qu'il en révèle un peu trop mais qui va rendre Charlotte jalouse, et revêts un petit manteau rouge. Puis le maquillage : visage, cou et oreilles en blanc; yeux noircis de façon exagérée, sur lesquels je fais couler quelques gouttes d'eau pour imiter des larmes (ça rend le tout plutôt dramatique); puis je me dessine un rictus rouge et noir. La perruque blanche me donne un peu plus de fil à retordre. Je dois la fixer à ma tête pour lui faire des lulus, recommencer par deux fois parce que les lulus sont croches, puis me la remettre sur la tête, l'ajuster et la tenir en place à l'aide d'une douzaine de bobépines.

Enfin satisfaite du résultat, je grimace dans le miroir installé au dos de la porte de ma chambre, étire mon sourire exagérément en ouvrant les yeux bien grand. Sous tout ce maquillage, je ne me reconnais même pas. L'illusion est parfaite !

– Pourquoi cet air si sérieux, *Mister J* ? que je lance à ma réflexion.

Je m'esclaffe. Je suis hilarante. Surtout avec ce déguisement. J'ai vraiment l'apparence d'un clown qui viendrait de s'évader d'un asile psychiatrique.

La gang se rejoint chez moi un peu après le souper.

– Nous ne sommes pas les droïdes que vous recherchez, me dit Elliot en entrant.

– *Cool* costume, pouding ! que je le complimente. Est-ce que c'est ton sabre laser, ou es-tu simplement content de me voir ?

– Hein ? fait-il sans comprendre. C'est mon sabre. Regarde.

De sous son attirail de Jedi, il tire un sabre laser de plastique. En l'agitant, un tube télescopique prend forme et s'illumine en vert.

– Il ne s'est pas cassé la tête, notre Elliot. C'est la troisième année qu'il le met, son costume de Jedi, me dit Charlotte en poussant Obi-Wan hors de l'entrée.

– Trouvée ! que je lance en la voyant.

Charlotte s'est déguisée en Félicie, mais beaucoup plus sexy. Son chandail rayé rouge et blanc laisse entrevoir son nombril, et sa jupe bleue ne ressemble en rien à celle plutôt informe du personnage. Elle porte aussi d'immenses lunettes rondes, exactement comme celles de Charlie.

– C'est une tuque du Canadien, précise-t-elle en la pointant. Wow, Laurie ! J'adore ton bustier. Où tu l'as trouvé ?

Je le savais.

Margot arrive trois minutes plus tard.

– Oh wow, Laurie ! Ton costume de Harley Quinn est super réussi ! me complimente-t-elle. J'y ai pensé, mais je me trouve trop petite. J'ai fait ça à la place.

En enlevant son manteau, elle révèle un tutu rouge lui allant aux genoux, un demi-kimono noir et un masque de chat à l'allure asiatique qu'elle porte sur le côté droit de sa tête.

– Trop *kawaii* ! lui dit Charlotte, ce qui me fait rire.

– T'es déguisée en quoi, au juste ? demande Elliot.

– En Babymetal ! ! ! hurle Charlotte en même temps que moi.

On fait chacune un *high five* à Margot. Elliot se croit très tendance avec ses robes de Jedi, mais ce soir, c'est définitivement Margot qui remporte la palme du costume le plus original.

Charlotte entreprend de faire l'éducation musicale de notre ami en lui racontant l'histoire du groupe en moins de trente secondes, mais c'est un vrai fourre-tout. Je l'interromps :

– C'est un groupe de trois filles… que je résume.

– Trop géniales ! ajoute Charlotte

– … qui font de la pop métal japonaise.

– Et qui n'ont pas besoin de s'habiller en salopes pour vendre leurs albums.

Nous nous regardons de haut en bas, Charlotte et moi, elle dans son chandail moulant, moi dans mon bustier de dentelle, réalisant l'ironie de la situation.

– Salope ! se lance-t-on à la figure en se tordant de rire.

Elliot, lui, ne comprend toujours rien à rien.

– Le mieux, c'est de lui montrer ce que c'est, que je dis en allumant la télé et en allant chercher *Gimme Chocolate ! !* sur YouTube.

Le volume dans le tapis, nous dansons toutes les trois sur les rythmes endiablés, tandis qu'Elliot reste un peu à l'écart en nous regardant comme si nous étions folles. Je n'écoute pas du Babymetal tous les jours, mais quand c'est le cas, les voisins aussi.

– Donc, c'est Margot, la goth ? conclut-il, incertain.

– Si tu me l'avais demandé, répond la principale intéressée, je te l'aurais dit que c'est mon groupe préféré.

– Pis vous connaissez ça, vous aussi ? dit-il en se tournant vers nous, abasourdi. Vous êtes *weird*, les filles.

Pour se rendre chez Simon, il nous faut prendre l'autobus qui passe à un coin de rue d'ici et qui va vers l'est. Étrangement, ça fait plus d'un mois que j'habite dans la grande ville et je n'ai toujours pas mis les pieds dans le réseau de transport en commun. L'expérience est à l'opposé de ce qu'elle était dans mon village. Il n'y avait que peu d'arrêts et de grandes distances à parcourir. Ici, c'est tout le contraire. Tous les cent mètres, le chauffeur arrête son véhicule pour laisser embarquer quelqu'un.

Je me demande si ça n'aurait pas été plus rapide à pied.

L'endroit est facile à trouver. Ça ressemble un peu à mon appartement. Simon a installé des lumières orange à la balustrade de l'escalier casse-cou. Depuis le trottoir, on entend la musique qui joue. C'est moins métal et plus pop, au grand bonheur d'Elliot. J'espère que Simon a averti ses voisins, ou la soirée va être de courte durée.

L'appartement est plein à craquer. C'est vraiment un party populaire. Il doit y avoir au-dessus de soixante personnes, ici. Tout le monde est venu déguisé. Il y a les classiques : le policier, le pirate, le cowboy, le légionnaire romain, Mario, un ange, des princesses; les superhéros : Batman, Superman, Supergirl, Spider-Man, Wonder Woman, une femme-chat, euh non, c'est plutôt un déguisement de chatte sexy. La fille qui s'est déguisée en Hermione, je la compte parmi les superhéros.

– Est-ce que vous reconnaissez quelqu'un, vous ? que je demande.

Margot fait signe que non. Charlotte indique une fille qui doit être en cinq, mais elle n'est pas trop sûre. Certains ont l'air d'aller au cégep.

– Je pense qu'on est probablement les seuls en trois ici, avance Elliot.

Les filles se sont passé le mot. On dirait qu'il y a un thème commun pour leurs costumes. Il y a des docteurs sexy, des pompières sexy, des soldates sexy, des infirmières sexy, des vampires sexy, sexy Yoda.

Quoi ? Sexy Yoda ?

Non, non, non, non, non. Il y a des costumes qui ne devraient tout simplement pas exister.

– Salut ! Content de vous voir ! Vous n'avez pas eu trop de misère à trouver la place ? nous crie Simon.

Simon nous donne à chacune un bec rapide ainsi qu'une tape dans le dos d'Elliot.

Nous n'avons pas abordé le sujet dans l'autobus, mais ce party est l'occasion idéale pour Margot d'enfin faire un *move*. Simon a certainement remarqué la façon dont elle le dévore des yeux. Quoique... l'expérience démontre que les compétences des gars dans ce domaine laissent à désirer.

Margot semble un peu plus nerveuse que d'habitude. Peut-être a-t-elle décidé que ce soir était le soir ? Je lui souhaite tellement de trouver le courage d'aller de l'avant.

Le volume de la musique est assourdissant, rendant difficile toute conversation. Au moins, le DJ est meilleur que chez Oli. Simon nous explique que son frère, qui est au cégep, et sa gang devaient tenir leur party ailleurs. À la dernière minute, ils ont dû changer d'endroit. Simon leur a offert de fusionner leurs partys.

– C'est fin ! lui répond Margot.

– *Cool* ! Des *chicks* du cégep ! Enfin des vraies femmes ! dit Elliot, ce qui lui vaut automatiquement un coup de coude dans les côtes de la part de Charlotte.

– Ils ne sont pas méchants ! Juste beaucoup plus nombreux que ce que je m'imaginais. Il y a des boissons sur le balcon en arrière. Faites comme chez vous !

En tant qu'hôte, Simon fait la tournée et va saluer ses invités. On dirait qu'il connaît tout le monde ici présent.

Pas moi. Ni mes amis non plus. Ce qui est un peu embarrassant. Nous restons là, un peu plantés dans l'entrée, à nous demander quoi faire. Après deux chansons, Charlotte amorce un mouvement de groupe en disant :

– Voulez-vous quelque chose à boire ?

Nous hochons tous la tête et la suivons vers l'arrière de l'appartement en nous faufilant entre les gens qui jasent ou qui dansent. Quand nous entrons dans la cuisine, Charlotte fait subitement demi-tour.

– Il y a Zach et William sur le balcon ! précise-t-elle en nous entraînant vers le salon double.

– Qui ? crie Elliot.

– Zach et William ! Ils fumaient des cigarettes électroniques sur le balcon !

– Marc et Ethan ?

Charlotte roule les yeux.

Si William et Zach sont là, Sarah-Jade est probablement dans les parages. Pourquoi Simon l'inviterait-il ?

Je ne pense pas qu'ils sont de très bons amis, des connaissances tout au plus. Ça m'étonnerait qu'ils se tiennent dans les mêmes cercles. Peu probable qu'ils aient des amis communs. Alors quoi, Sarah-Jade aurait le culot de se pointer au party de Simon sans y être invitée ?

Je ne sais pas comment, mais entre la cuisine et le salon, Elliot s'est retrouvé avec un verre de plastique rempli à ras bord dans la main.

– Où t'as pris ça ? que je lui demande.

– Aucune idée ! Quelqu'un me l'a donné. En voulez-vous ? dit-il en me le tendant.

Il y a une mousse blanchâtre qui recouvre le liquide. Je me doute bien de ce que c'est. Je peux bien y goûter, ce n'est pas ça qui va me tuer. Qu'une petite lichette, que je me convaincs. Je pourrai toujours dire que c'est la faute à mon costume.

J'en prends une toute petite gorgée. Le goût est amer. Beaucoup trop à mon goût. Je tends le verre à Margot, qui sent le contenu, en prend une minuscule gorgée, elle aussi, fait non de la tête et tend le gobelet à Charlotte. Celle-ci nous imite et trempe ses lèvres, grimace, et redonne le verre à Elliot, qui dépose aussitôt le verre sur une table.

Sarah-Jade ! Je viens de la repérer. Elle est à peine à quelques mètres de nous. C'est plus difficile de nous reconnaître avec nos déguisements. Le visage ainsi maquillé, je suis méconnaissable; munie de ses fausses lunettes, Charlotte passe aussi inaperçue; quant à Margot, elle a enfilé son masque de chat.

Il n'y a qu'Elliot qu'elle pourrait reconnaître, mais il lui fait dos.

Sarah-Jade se mêle parfaitement aux filles plus vieilles avec son costume de diablesse sexy. Noémie détonne un peu plus. Elle est habillée en Elsa. Sarah-Jade se tourne vers moi, me regarde droit dans les yeux, mais ne soupçonne pas qui se cache sous cette perruque et ce visage blancs.

Urgh. Quel être insupportable. Je la déteste. Elle se fout royalement des autres. Elle ne se sent bien que lorsque les gens autour d'elle sont misérables. Elle est cruelle et je la méprise. Jamais nous n'aurions pu devenir amies.

Voyant qu'elle m'observe toujours, je ne peux résister à l'envie de la narguer un peu. Je laisse tomber ma tête sur le côté et lui offre un rictus rieur doublé d'un clin d'œil. L'incompréhension se lit dans son regard. Mon geste la prend par surprise. Elle se demande si elle me connaît, avant de ramener son attention vers Noémie.

Si la plupart des cégépiens nous ignorent, quelques-uns des amis du frère de Simon viennent nous jaser un peu. En fait, quatre filles et trois gars viennent complimenter Margot sur son costume. Elliot essaie d'engager la conversation avec les filles, mais ses résultats laissent à désirer.

Si Simon n'était pas revenu pour tous nous inviter à danser, je crois que nous serions restés là jusqu'à la fin de la soirée. Cordés comme des sardines, nous dansons dans le salon. Au début, Elliot est discret, ses mouvements sont retenus. Il déconne avec son sabre laser. J'ai l'impression qu'il se retient. Qu'il ne veut pas trop attirer l'attention.

Après trois chansons, Margot, Charlotte et moi, et aussi Simon, formons un petit cercle et invitons Elliot au centre. Tout d'abord, il nous fait signe que non de la tête, mais nous voyant insister, il se laisse convaincre. Eh bien, on n'a pas eu à lui tordre trop le bras ! Il fait le clown, tourne sur lui-même, lance les bras au ciel, mais étrangement, il est toujours sur le *beat*. Sa chorégraphie est très drôle – et plutôt étrange. Il n'a rien de malhabile ou de gauche. J'ai l'impression que sous le couvert de cette bouffonnerie, il est bien meilleur que ce qu'il ne veut nous faire croire. Il bouge pour nous faire rire, ça, c'est clair. Mais chacun de ses mouvements est dans le rythme.

Il me fait penser à un étudiant qui ne veut pas attirer l'attention sur lui en maths, qui évite d'avoir cent et vise la moyenne. Mais il est trop bon pour couler comme il faut : tout le raisonnement est là, la démarche, les calculs, etc., il n'y a que la réponse qui cloche. C'est on ne peut plus louche. Peut-être aussi que la gorgée de bière que j'ai prise tantôt me fait voir des choses qui ne sont pas là !

Voir Elliot danser nous fait vite oublier Sarah-Jade. Mais en attirant ainsi l'attention sur lui, Elliot se fait finalement reconnaître par notre meilleure ennemie. Du même coup, nous sommes démasqués. Sarah-Jade glisse un mot à l'oreille de Noémie et l'entraîne vers la piste de danse, vers nous, vers Simon.

Elle veut que Noémie passe à l'attaque. Celle-ci ne peut pas se contenter du plan de match initial, celui où elle joue à la fille compréhensive dans l'espoir que Simon lui tombe dans les bras. Il y a trop de compétition. Noémie cherche à s'approcher.

Tant que je suis là, je ne la laisserai pas voler Simon à Margot. Je fais signe à Charlotte et passe à l'action. En pivotant sur moi-même, je donne un coup de hanche hyper accidentel à Noémie, qui l'envoie dans les bras d'un Minion plutôt que dans ceux de son prétendant. Charlotte, elle, change de place avec Margot, qui se retrouve à côté de Simon.

Voyant Simon ainsi accaparé par Margot, Noémie quitte le salon, visiblement frustrée.

Charlotte et moi : 1 – Sarah-Jade et Noémie : 0.

La crise est évitée pour le moment (à moins qu'on ne vienne de mettre de l'huile sur le feu) et donne une occasion à Margot de se rapprocher de son *kick*.

Tiens ! Où est passé Elliot ? Comme la chanson se termine, je me rends compte qu'il n'est pas là depuis un moment. Et pfiou, ce qu'il fait chaud sur la piste de danse ! Je me glisse au travers de la foule pour aller me prendre quelque chose à boire sur le balcon lorsque j'entends un groupe scander le nom de notre jeune Padawan :

– Elliot ! Elliot ! Elliot ! Elliot !

Elliot et Zach sont face à face, une demi-douzaine de *shooters* alignés devant chacun d'eux. Zach en est à son troisième verre, tandis que ceux d'Elliot sont tous vides. Triomphant, il crie aussi :

– Elliot ! Elliot ! Elliot ! Wouhou ! C'est moi le meilleur !

Charlotte, Margot et Simon apparaissent à côté de moi.

– Qu'est-ce qui se passe ?

– Je pense qu'il vient de caler six *shooters*.

– Quoi ?

Simon traverse la pièce pour aller engueuler son grand frère. Après tout, il y a beau avoir des cégépiens à ce party, Elliot n'a pas la face d'un gars de dix-sept ans.

– OUI ! Avez-vous vu ? crie Elliot en nous voyant. C'est moi le meilleur ! Maintenant, sois un homme ! dit-il en se retournant vers Zach.

Le perdant dépose son verre sur la table. Il ne prend pas la peine de vider les trois derniers. Le bec pincé, il vient se planter devant Charlotte et, du bout des lèvres, il marmonne :

– Désolé, avant de s'enfuir vers le salon.

S'il y a une incarnation de l'hypocrisie, c'est bien Zach. Voilà les excuses les moins sincères que j'ai jamais entendues. Au moins, il n'en a pas profité pour me déshabiller des yeux.

– J'ai gagné !

– Quoi ? lui demande Charlotte.

– J'ai. Totalement. Gagné. Je l'ai clenché ! C'est parce que j'ai pas de luette.

– De quoi tu parles ?

– De quoi toi tu parles ? répète-t-il, les yeux un peu dans le vide, avant de lâcher un superbe rot. Ouf !

Ça tourne. Eille, ils ont scandé mon nom. Personne n'a jamais scandé... mon nom. C'est *cool*, hein ? Apparemment, j'ai... battu un record de vi... De vitesse.

– Ouais, t'as une belle tête de champion. OK, qu'est-ce que tu dirais si je te ramenais chez toi ? propose Charlotte en le prenant par le bras.

Elliot se défait de son emprise.

– Je peux pas ! Ils vont... Faire un con... cours de TWISter.

Comprendre ce qu'il dit est de plus en plus laborieux. Elliot ne sait plus s'il doit murmurer ou crier, alors il tente un désastreux mélange des deux.

– Il FAUT ! Que ! Je. Gagne.

– Ouais... pas ce soir.

– Ohhh... T'es méchante, dit-il sans conviction. NO-NON... jalouse... parce que je suis plus flessiible que TOI. Charlotte EST JA... louse de ma fwexilibilité. Fwex... Flesquilibité... VOYONS !

Elliot bouge les lèvres pour les étirer, se masse les joues, tentant de reprendre le contrôle sur son visage. Il forme le mot sans toutefois le prononcer.

– Vous pouvez rester si vous voulez, les filles. Je vais le ramener chez lui.

– Je vais y aller aussi, fait Margot.

– MOI AUSSIIII ! crie Elliot.

– Va donc dire au revoir à Simon avant de partir, que je conseille à Margot.

– Les filles ! reprend Elliot, sortant de ses exercices faciaux. Avez-vous déjà... pensé à ce qui arriverait si la NASA... si la NASA...

Le disque est rayé.

– ... envoyait un loup-garou... sur la Lune ? !

Il y a officiellement une bulle qui est montée au cerveau d'Elliot ! Pour mieux expliquer son
illumination, il agite les bras dans tous les sens, tente
de parler avec les mains, sans succès.

– C'est pas genre son habitat naturel ? dit-il enfin.
OK, ça, c'est *weird* !

Charlotte se demande bien ce qui a pu lui passer
par la tête ce soir, parce que ce n'est pas son genre
d'être aussi irresponsable. Découragées, nous ten-
tons de l'entraîner toutes les deux, mais il refuse de
bouger. Une idée me vient.

– Hey, Elliot, devine quoi !

– Quoi ?

– T'as gagné.

– Gagné quoi ?

– T'as gagné le concours de Twister !

– Déjà ?

– T'étais vraiment *hot*.

– Je sais...

Le subterfuge fonctionne. Nous réussissons à
l'amener jusqu'au couloir avant qu'il se tourne vers
moi.

– Charlotte...

– C'est Laurianne, mais on ne va pas s'obstiner
pour trois ou quatre lettres.

– Je me sens pas bien.

Oh non ! Il est déjà trop tard. Avant même que
nous ayons le temps de réagir, Elliot vomit dans le

dos de la princesse juste devant nous. Qui n'est nulle autre que Noémie.

Ce n'est pas ce soir qu'elle va *frencher*, elle.

Surprise, Noémie crie, une réaction tout à fait normale pour quelqu'un qui reçoit un jet de vomi chaud entre les omoplates. Elle appelle Sarah-Jade à l'aide, mais celle-ci, trop dégoûtée, refuse de lui nettoyer le dos. Coïncidence, c'est une cégépienne déguisée en infirmière (sexy) qui vient à la rescousse et entraîne Noémie à la salle de bains.

Je pense qu'il est plus que temps pour nous de nous en aller. Pendant que je vais récupérer nos manteaux, Charlotte s'occupe d'Elliot. Margot se trouve sur le balcon arrière. Simon la serre dans ses bras.

Enfin !

Je savais bien que le party n'était qu'une excuse pour Simon.

Dans l'autobus, nous ne disons rien. Margot revisite sûrement les bras de Simon en pensée. Les yeux fermés, Elliot se concentre pour contrer les oscillations provoquées par les brusques départs et arrêts du véhicule.

Lorsque nous sommes rendus devant chez lui, Elliot se met à pleurer.

– Ben voyons, Elliot. Contrôle-toi, lui lance Charlotte. Tu me fais honte.

Il renifle un coup.

– C'est Zach… Zach, il a dit…

Elliot se penche pour souffler quelques mots à l'oreille de Charlotte.

– Chuuuuutttt. Faut pas le répéter.

Avant qu'il ne se redresse, Charlotte le retient et le serre dans ses bras. Sa voix s'étrangle.

– Merci, Elliot.

– Dis-le pas à Charlotte, OK ? Les filles… Je vous aime… On est les meilleurs…

– Tu as vomi sur Noémie, que je lui rappelle.

Ça le fait rire.

– Ah ouin ? *Cool*…

Chapitre 2-18

Je n'aime pas beaucoup les surprises. À moins qu'elles ne viennent enveloppées pour mon anniversaire ou sous la forme d'une bande-annonce sur YouTube qui annonce un film de superhéros. À part ça, je n'aime pas beaucoup les surprises. Ça vient de mon esprit cartésien, selon papa... ou de mon côté légèrement obsessif-compulsif.

C'est probablement une des raisons pour lesquelles j'adore tant les listes. Dresser une liste me permet d'avoir un certain pouvoir sur la direction des événements qui affecteront ma vie dans un futur proche. À tout le moins, une illusion de contrôle.

Comme pour la bombe à paillettes, par exemple. Je savais ce qu'il fallait faire pour venger la gang. Les étapes étaient bien identifiées et le résultat correspondait à mes attentes.

OK, non. J'ai menti. Je n'ai pas de trouble obsessif-compulsif. J'aime juste vraiment rédiger des listes. La meilleure : la liste de listes !

Trêve de listes, en me levant, j'envoie un texto à Margot pour essayer d'en savoir un peu plus sur ce qui s'est passé avec Simon sur le balcon, la façon dont il a réagi, s'ils se sont embrassés, s'il sent bon. Ce genre de détails, quoi.

En y pensant bien, ça ne me ressemble pas. J'ai une soif inhabituelle de potins. J'accuse ma nouvelle relation avec Sam. Ça fait deux semaines qu'elle me met tout à l'envers. Margot et moi, nous pourrions échanger de l'information à propos de nos *kicks*.

Wô ! OK, Laurie. Calme-toi. Qu'est-ce qui te prend ?

Je prends une bonne inspiration, me secoue un peu et retrouve mes esprits.

Je vais seulement lui demander comment ça s'est passé et si elle est au septième ciel. Ça me paraît plus raisonnable. Si ça peut marcher entre elle et Simon, ce serait un pied de nez génial à la campagne de dénigrement orchestrée par Sarah-Jade.

Mon cell vibre. Un texto de Margot.

Je te conterai tout demain, promis.

Argh ! La torture ! On m'oblige à patienter.

Après avoir laissé Elliot sur le pas de sa porte – et nous être assurées qu'il n'allait pas passer la nuit sur le balcon –, Charlotte nous a révélé l'info qu'il nous manquait pour comprendre ce qui l'avait incité à boire autant. Pendant la nuit, j'ai élaboré une théorie pour remettre les événements de la soirée en ordre. La voici :

Le bizarre incident d'Elliot pendant le party

Ce que l'on savait :

- *Pendant qu'on danse, Elliot disparaît et se rend dans la cuisine;*
- *Il cale six shooters avec Zach;*

- *Il célèbre sa victoire;*
- *Zach s'excuse auprès de Charlotte;*
- *Elliot veut faire un concours de Twister;*
- *Il vomit sur Noémie.*

Ce qui serait arrivé :
- *Nous dansons dans le salon;*
- *Elliot se rend dans la cuisine pour se prendre un breuvage;*
- *Il surprend Zach en train d'insulter Charlotte (l'info qu'il nous manquait);*
- *Elliot s'élance pour sauter au cou de Zach, mais les amis du grand frère de Simon interviennent;*
- *Elliot demande réparation;*
- *On propose à Zach et à Elliot de régler leur conflit par un concours de shooters;*
- *Les participants doivent jurer sur les anciens et les nouveaux dieux (c'est peut-être juste moi qui fabule);*
- *En moins de temps qu'il ne faut pour dire « luette », Elliot vide ses six verres;*
- *Nous le surprenons, un verre à la main;*
- *Il célèbre sa victoire;*
- *Zach s'excuse auprès de Charlotte;*
- *Elliot veut participer à un concours de Twister;*
- *Il vomit sur la reine de neiges.*

Charlotte avait raison quand elle a dit qu'Elliot était un champion. Oui, bon, elle a dit qu'il avait, et je cite, « une belle tête de champion », ce qui est loin d'être un compliment. Mais finalement, il en est vraiment un.

Ce qui m'amène enfin au dernier point. Elle. Sarah-Jade.

Résolue à retracer l'origine de la page et à prouver la culpabilité de Sarah-Jade, je passe mon avant-midi devant mon ordi. L'idée, c'est de recommencer depuis le début. J'ai peut-être commis une erreur, raté une information cruciale.

Je m'attaque à nouveau à la page, inspecte le code, examine les données. Même en prenant tous les trucs conseillés sur ACCèS ReFuSé, je n'arrive à rien.

Voilà trois semaines que la page est active. Ça devient frustrant, à la fin. Je sais que ma prochaine tentative va me mener aux mêmes résultats : une adresse dans un pays de l'Europe de l'Est ou en Asie. N'importe où sauf au bon endroit.

Mon cerveau peut peut-être trouver une solution si je n'affronte pas directement le problème ? La réponse doit se cacher au fin fond de mes neurones. Il me faut laisser mon inconscient aller la chercher. Je fais les cent pas dans l'appartement en murmurant : « ne pas penser à la page, ne pas penser à la page, ne pas penser à la page... » Mais pour une raison que j'ignore, je ne fais que ça, penser à la page.

J'enfile mon manteau, me ramasse à La Grotte, et fouine un peu dans la section des revues. Rien de nouveau sur les tablettes à part pour la dernière édition de *Cool!*, où une auteure a interviewé Zoé Ducharme pour son article. Ducharme, une designer indépendante de jeux vidéo, vient de lancer une campagne de socio-financement. Dans l'entrevue, elle souligne les nombreux défis qui attendent l'industrie, dont celui de la sous-représentation des femmes.

Guillaume sort de l'arrière-boutique.

– Salut, Laurie ! T'es toute seule aujourd'hui ? Cherchais-tu quelque chose en particulier ?

– Pas vraiment... En fait, oui. Est-ce que le dernier numéro de *L'Utilisateur* est sorti ?

– Non. Éric vient d'avoir un bébé. Comme c'est lui qui s'occupe de tout, de la plupart des textes, de la pub, du montage et tout le kit, il a pris du retard. Ça devrait sortir d'ici quelques jours. Veux-tu que je t'en mette une copie de côté ?

– Tu connais le rédacteur en chef ?

– Éric ? Certain. C'est un chum du cégep.

– Ah ouin... *Cool*, que je réponds sans grand enthousiasme.

– Ça va ? T'as pas l'air dans ton assiette, toi.

J'ai oublié qu'il avait les antennes sensibles, celui-là. Je décide de saisir la perche qu'il m'a tendue il y a quelques jours. Ce ne sera sûrement pas le « problème de gars » auquel il s'attendait.

Comme Guillaume est propriétaire de son magasin de jeux vidéo, j'ai toujours tenu pour acquis qu'il avait une bonne base en informatique. Qu'il se révèle être technonul serait étonnant. De plus, au fil de nos conversations, ce sentiment a été renforcé. Mais un peu à la manière d'Elliot qui cache son sens du rythme, je suspecte Guillaume d'en savoir beaucoup plus. Surtout depuis que j'ai vu son atelier dans l'arrière-boutique. Je pense qu'il est un *wiz*, un *crack*, une bête d'informatique.

Je jette un regard dans le magasin afin de m'assurer qu'il n'y a pas d'oreilles indiscrètes, ce qui est toujours très louche, soit dit en passant. Rien de mieux pour attirer l'attention que d'essayer d'être discrète. Il n'y a qu'un gars qui joue à un ordi, un casque d'écoute sur la tête, complètement indifférent à notre conversation.

– Je peux te poser une question ?

– Vas-y.

– Est-ce que tu as déjà fait… heu… comme des choses ?

Dans l'art d'être subtile, Laurianne, tu es la reine ! Qu'est-ce qu'il va comprendre maintenant ? Le sous-entendu accidentel me fait rougir.

Au moins, il rit.

– Des choses. C'est un peu vague.

– Tu sais… As-tu déjà…

C'est ça, demande-lui s'il a déjà œuvré dans l'illégalité. Un doute m'assaille. Ce n'est pas son genre, à Guillaume. Il est trop… gentil.

Je pose ma question tout bas :

– As-tu déjà *hacké* quelqu'un ?

– Pourquoi tu veux savoir ça ? Fais-tu une enquête pour la police ?

– Hein ? Non non, c'est que... comment dire ?

Pas le choix. Je reprends depuis le tout début et lui résume ce qui arrive à Margot, nos soupçons initiaux, l'aveu de Sarah-Jade à Noémie dans les toilettes des filles confirmant qu'elle est bien le cerveau de l'opération et que tout ça, ce n'était que pour que Noémie puisse sortir avec Simon. J'omets de dire qu'Elliot a vomi sur Noémie. Sur le coup, ça ne me paraît pas si important.

– Disons qu'en théorie, ça fait trois semaines que j'essaie de craquer la page, et qu'en théorie, je tombe sur un cul-de-sac parce que je soupçonne qu'en théorie, Sarah-Jade utilise un VPN sophistiqué pour camoufler son adresse. Qu'est-ce que tu me conseillerais ? En théorie.

– En théorie, si tu me posais la question, je te dirais que ce serait criminel. Et que le mieux, ce serait d'aller voir les autorités.

Pourquoi veulent-ils tous qu'on aille voir la police ?

– Mais la police a sûrement d'autres chats à fouetter, malheureusement. Ce qui ne règle pas ton problème théorique. Exact ?

Je hoche la tête. Pendant dix secondes qui me paraissent bien longues, Guillaume me fixe. Intensément. J'ai l'impression qu'il me juge. Pas juger « juger », mais qu'il m'évalue. Puis, il poursuit :

– Tu es familière avec *Civil War* ?

– Heu oui. Mais je ne vois pas en quoi Tony Stark ou Captain America vont résoudre mon problème.

– Je pensais plutôt à Wolverine, numéro 42 ou 43, il me semble. Quand Nitro fait exploser la petite ville de Stamford...

– Oui.

– Les derniers mutants sont retranchés dans le manoir du professeur Xavier, surveillés de près par les Sentinelles, et Logan se pousse pour partir à la recherche de Nitro.

– Je ne suis pas certaine de comprendre ? Es-tu en train de dire que je devrais agir sous le coup de la colère et faire à ma tête ?

– Non ! Attends. J'ai pas fini. Iron Man retrouve Logan. Et avec l'aide du S.H.I.E.L.D., Wolverine met la main sur le fugitif.

– Oui, mais les agents du S.H.I.E.L.D. meurent tous, que je lui rappelle. Il n'y a que Wolverine qui survit à cause de son pouvoir de régénération.

– Ah oui ? Oups. J'avais oublié ce bout-là. C'était pas mon meilleur exemple. Essaie de tuer personne, OK ? Mon point, c'est que tu as peut-être besoin d'un peu d'aide technologique. Comme Logan a eu besoin de Stark.

– Ahhhhh... que je fais.

Il aurait pu le dire dès le début.

– T'aurais pu le dire avant.

Guillaume semble hésiter. Finalement, il avoue :

– Écoute, dans une autre vie, j'ai peut-être déjà fait... des choses, comme tu dis.

Il me fait signe de le suivre dans l'arrière-boutique, à son atelier. La table de travail est encombrée, des ordinateurs sont éventrés, soit pour être réparés, soit pour qu'on en récupère les composantes qui fonctionnent encore. Un peu plus loin, ce ne sont pas deux écrans qui sont fixés au mur, mais bien six, sur deux rangées.

Les moniteurs sont tous allumés. Sur l'un d'eux, un programme analyse des données – peut-être la performance des machines de sa salle de jeu –; sur un autre, justement, il y a une image de *La Ligue des mercenaires*, une fenêtre d'inventaire pour être précise; sur un troisième écran, un canal de nouvelles en continu diffuse ses reportages en silence; sur les autres, une multitude de fenêtres de fureteurs sont ouvertes. L'une d'elles, en arrière-plan, attire mon attention. Je reconnais tout de suite le site : ACCèS ReFuSé.

Je le savais ! Nous faisons partie du même clan.

Guillaume s'assoit. À l'aide de son curseur, il va chercher un fichier qu'il copie sur une clé USB qu'il me tend.

Je saisis la clé, mais il la retient, l'air sévère.

– C'est pour une utilisation unique. Compris ? Lorsque tu auras fait ce qu'il faut, tu effaces le programme et tu détruis la clé. OK ? Promets-le-moi.

Je hoche la tête.

– Dis-le ! insiste-t-il.

– C'est promis !

Quand même, il exagère. Guillaume en met un peu trop, je trouve. Ce n'est pas comme si j'allais *hacker* la Réserve fédérale des États-Unis. Tout ce que je veux, c'est faire ravaler à Sarah-Jade sa page et ses statuts.

– Qu'est-ce que c'est ?

– Pour te donner un coup de pouce. Je n'ai pas envie de voir ton nom apparaître dans les journaux.

Ça n'arrivera pas, que je l'assure. De un, je ne suis pas conne au point de prendre le genre de risque qui m'amènerait à voir mon minois reproduit en première page des journaux. De deux, je suis trop bonne.

Mouahahaha !

Non, sérieux. Je fais vraiment attention. Il y a de mes connaissances virtuelles qui se sont fait arrêter parce qu'ils avaient eu la panse trop grande. Alors non. Ça ne risque pas de m'arriver.

Je cours presque jusqu'à la maison, tant j'ai hâte de découvrir le programme que Guillaume m'a prêté.

– Papa ?

Il n'est pas là. Il y a un mot sur le comptoir de la cuisine. Il a un rendez-vous imprévu et ne sera de retour qu'après le souper. Sous la note se trouvent vingt-cinq dollars, si jamais j'ai envie de me commander un repas. Pas de sous-marin ou de pizza pour moi ce soir. Avec le cross-country qui s'en vient, c'est la pire nourriture que je pourrais absorber. Trop lourd, trop gras, trop salé. De toute façon, il est encore trop tôt.

Dans ma chambre, je rédige mon plan d'action.

Il faut sauver Margot

- *Contacter Sam*
- *Prendre une collation*

- *Activer le programme que Guillaume m'a donné*
- *Réunir les preuves contre Sarah-Jade*
- *Célébrer une première fois*
- *Déchaîner la bête contre Sarah-Jade*
- *Célébrer une seconde fois*
- *Surtout ne pas allez glousser devant l'ennemie*

C'est un plan assez sommaire, je l'avoue. J'ai déjà fait mieux. Mais je suis trop excitée à l'idée d'avoir la clé de notre problème entre les mains. Dès que ma liste est complétée, je me prends une barre tendre dans le garde-manger, raye le second point du plan ainsi que le dernier. Je suis plutôt bonne pour garder les secrets. J'œuvre dans l'ombre depuis assez longtemps pour être en mesure de tenir ma langue. Armée de ma barre tendre et d'un immense verre de Mountain Dew, je m'installe.

Si le verre de boisson gazeuse ne fait pas partie de mon plan d'action, c'est qu'il se trouve déjà dans mon plan d'entraînement. Avant une course, mes muscles doivent se gorger de glucides. Voilà un autre des avantages de la course à pied ! J'essaie de me tenir loin de ce type de poison en général. Parce que

A) ça goûte trop bon;

B) ça me fait faire des rots infernaux;

C) mon immense verre contient sept cent cinquante millilitres de Mountain Dew (je n'ai pas envie de me relever, je suis paresseuse comme ça), ce qui représente près de cent six millilitres de sucre (rendu-là, je pourrais aussi bien remplir un verre de sucre et le manger);

et D) ça contribue à m'obstruer les pores de la peau et à me faire pousser une pizza dans la face.

Moins, c'est mieux, comme ils disent.

Sam sait déjà ce que je peux faire de mes dix doigts; l'embarquer dans ma mission représente un risque minime. Surtout que je peux lui faire confiance aveuglément. Ses services auraient été requis pour couvrir mes arrières, mais il n'est pas en ligne. Ni sur Skype, ni sur Facebook, ni sur le réseau de la *Ligue*, et il ne répond ni à mon courriel marqué urgent ni à mon texto.

Où est-il quand j'ai besoin de lui ?

Pour cette mission sensible, je dois m'assurer de faire extra attention, d'effacer mes traces, de ne pas déclencher d'alerte. Je sais que je peux être aussi discrète qu'un banquier suisse.

La clé fournie par Guillaume ne contient qu'un seul fichier exécutable : Peverell.exe. En le glissant dans un répertoire de mon ordi, j'en fais une copie, me croise les doigts et l'active.

Une fenêtre noire apparaît, remplit les moniteurs devant moi, puis s'estompe. En bordure des moniteurs subsiste un cadre argenté scintillant.

Peverell est une cape d'invisibilité, un bouclier de protection me rendant, en principe, indétectable. Tant que je n'active pas d'alarme intentionnellement, les programmes de surveillances ne devraient pas être en mesure de me détecter.

Je commence par me rendre sur la page Facebook pour y prendre de nouvelles captures d'écran, puis sur le site internet. Je classe méticuleusement les images dans un dossier. Elles serviront de pièces à conviction. Je recadre la fenêtre et la tasse dans un coin de mon moniteur principal.

Puis, encore une fois, je fais aller mes dix doigts pour retracer d'où provient cette page. Nos interactions, même virtuelles, laissent des traces, une signature indélébile, en quelque sorte. Quelqu'un a été méticuleux pour camoufler la sienne. Le créateur – la créatrice ! – de cette page se cache.

Je saisis ma souris pour activer un programme ayant fait ses preuves. Le hic, c'est que j'en aurai encore pour une heure. Mais lorsque le curseur de ma souris passe sur le cadre argenté qui ceinture mon moniteur, un menu apparaît. Il contient une liste d'onglets en langue étrangère. Le non-initié y verrait du latin.

Je ne savais pas que Guillaume était un si grand fan de Harry Potter ! Sacré Guillaume ! Ça fait quand même un bail que j'ai lu les livres. Pour ne pas faire d'erreur, j'ouvre une troisième fenêtre de mon fureteur et y fais une recherche pour retrouver la liste de sortilèges et leur effet.

Celui-là devrait m'être utile. Je clique sur *Aparecium*.

Le programme que j'avais téléchargé sur ACCèS ReFuSé avait fait le travail en plus ou moins soixante minutes. Celui de Guillaume me revient avec la bonne réponse en cinquante-quatre secondes. Wow !

Il aurait dû nommer son programme Usain-Bolt.

Quoi qu'il en soit, j'en suis toujours au même point que la dernière fois avec une adresse courriel tchèque en main, malgré le temps sauvé. Non, pas exactement au même point. Il y a quelque chose de nouveau. Peverell me suggère un hyperlien qui m'amène à la page du fournisseur tchèque.

J'essaie un second sortilège informatique :

– *Alohomora !*

Cet outil est remarquablement puissant. Ce serait dommage d'avoir à le détruire après cette opération.

Non, Laurie ! Tu as donné ta parole.

Urgh...

Alohomora est l'équivalent moderne de « Sésame, ouvre-toi ». Le programme trouve le mot de passe donnant accès au compte, qui est vide. Aucun message n'a été reçu ni envoyé. Un compte fictif créé pour les besoins de la page. Néanmoins, je passe le compte au peigne fin. L'erreur de Sarah-Jade se cache peut-être ici. Je dois la trouver. Ah ! Justement ! Il y a une adresse de récupération. Une adresse fictive, bien sûr. Mais cela me donne l'impression d'être sur le bon chemin.

Le second compte se pirate tout aussi facilement que le premier. Il est tout aussi vide. Je vais tout de suite vérifier l'adresse de récupération. Cette fois-ci, c'est un numéro de téléphone que je trouve. Je suis prête à parier mon allocation du mois à venir que ce numéro appartient à Sarah-Jade.

Il n'est pas encore 18 heures quand je termine d'imprimer la pile de documents, que je glisse dans une grande enveloppe brune.

Je suis survoltée, surexcitée, autant à cause de ce que je viens de découvrir qu'à cause de la quantité de sucre que je viens de consommer.

Deux mots me viennent en tête : Méfait accompli !

Chapitre 2-19

Le colis est livré.

Dans la plus (ou moins) grande discrétion, je l'ai collé à la porte de la case de Sarah-Jade grâce à deux bandes de *duct tape* placées en X. Si je peux me permettre : les carottes sont cuites ! Après ça, Sarah-Jade ne viendra plus nous mettre de bâtons dans les roues.

Charlotte m'a fait faire le saut. Elle est passée derrière moi alors que j'étais en train de coller mon l'enveloppe. Pour détourner son attention, je me suis mise à parler de notre soirée de samedi. Ça a marché.

Ouf ! Ni vue, ni connue.

Nous avons rejoint Margot et Elliot dans la cour de l'école, où tous les élèves de secondaire trois attendent *coach* Michel. Exceptionnellement, les cours ont été levés pour permettre la tenue de la course. La matinée y sera consacrée, car le cross-country se tient dans un grand parc situé pas trop loin de l'école. La plupart des élèves sont excités de voir leurs cours annulés bien plus que d'avoir à participer à une course.

– Les filles, j'ai une faveur à vous demander. Est-ce qu'on peut oublier ce qui est arrivé en fin de semaine ? nous demande Elliot.

– Impossible ! Ce que tu as fait était, comment dire, un parfait mélange de bravoure et de stupidité. Je t'en dois une. Juste pour ça, je ne peux pas te permettre de te laisser oublier, répond Charlotte en souriant.

– C'est correct. Tu ne me dois rien, je t'assure.

– Elliot, dit-elle, soudainement sérieuse, c'est un des plus beaux gestes que tu aies posés. Mais la prochaine fois, au lieu de te rendre malade, t'as juste à me le dire. Ça me fera plaisir de régler ça moi-même.

Elle résume sa position en donnant un bon coup de poing dans la paume de sa main gauche.

– En tout cas, une chance que la course n'avait pas lieu hier. J'avais un de ces maux de tête… Vous avez même pas idée ! Sérieux, si c'est ça que ça fait, des *shooters*, je n'en prendrai plus jamais ! Je me suis traîné toute la journée d'hier. Une vraie cloque !

– Tu as l'air remis, que je dis en notant son lapsus.

– Hey, vous vous souvenez quand Elliot a vomi sur Noémie ? rappelle Charlotte pour la énième fois ce matin.

Elliot se cache le visage dans ses mains, un peu honteux.

– En tout cas, tu as contrecarré ses plans… que je révèle.

– Hein ? fait Elliot.

– Elle se préparait à aller *cruiser* Simon, que j'avoue.

– Non ! Pour vrai ? s'exclame Charlotte.

– Je te le jure !

– Comment tu sais ça ?

– J'ai surpris une conversation entre elle et Sarah-Jade, que je dis en omettant les détails entourant la découverte. Elle s'en allait faire un *move*. T'aurais pas pu choisir un meilleur moment pour ton déversement toxique. Surtout qu'on était sur notre départ.

– Tu peux lui vomir dessus quand tu veux, ajoute Margot.

– Ouach !

La course pour laquelle on s'entraîne depuis le début de l'année est enfin arrivée. Sérieux, après cette épreuve, je prends congé d'intervalles, de suicides, de *squats*, de redressements assis. Je ne passerai pas une minute de plus à faire la planche ! Avec tous ces exercices, *coach* Michel m'a (presque) fait détester la course à pied. Peut-être que papa pourrait nous acheter un vélo stationnaire ? Je pourrais faire du *spinning* dans le salon en regardant des séries à la télé...

Le froid intense qui s'était installé sur la province au cours des derniers jours a fait place à des températures bien au-dessus de la normale. Tout le monde est devenu fou, moi y compris ! Ce matin, des filles sont venues à l'école en jupe, des gars se promènent en t-shirt. Si le thermomètre continue de monter, Charlotte dit qu'elle va mettre ses sandales demain !

Le grand parc municipal qui borde l'ancienne carrière est à une dizaine de minutes de marche.

– Pis ? que je dis à Margot, ce qui en termes d'entrée en matière est assez peu original. Quand est-ce que tu vas me dire ce qui est arrivé avec Simon ? J'étais vraiment contente de vous voir ensemble samedi soir ! Est-ce qu'il t'a... ?

En laissant ma question en suspens, je lui tends une perche grosse comme le bras.

– Ehhhhh… qu'elle fait.

– Ehhhhh ?

– Je sais pas si j'ai le droit d'en parler.

– Ben là ! T'as promis, Margot. Essaie pas de te défiler.

Margot n'a pas le sourire béat qu'elle affiche normalement quand elle vient de croiser Simon, ce qui me porte à croire que ce qui s'est passé entre eux ne s'est pas déroulé comme dans les comédies romantiques hollywoodiennes. J'essaie de me remémorer la scène : Simon prenant Margot dans ses bras. Qu'est-ce qui me manque ? Ça a pourtant enfin cliqué !

Bien sûr ! Il est en couple. C'est évident.

– Il a déjà une blonde, que je réponds à sa place.

– Ha ! Non. Si seulement…

– Écoute, Margot, je ne comprends pas. Va falloir que tu me donnes un peu plus de jus…

La pauvre Margot soupire.

– Quand je suis allée voir Simon, j'étais déterminée à lui faire savoir ce que je ressentais pour lui. Je peux pas croire que j'ai attendu si longtemps ! Bref, il était encore dans la cuisine avec son frère. Pis heu… Je pense qu'il a vu dans mes yeux que j'allais lui dire que je le trouvais pas mal de mon goût, alors il m'a invitée sur son balcon. Il n'y avait personne, il faisait un peu froid, mais je me disais que ça allait être une bonne excuse pour me coller contre lui. Je l'ai regardé dans les yeux. Au moment où j'allais tout lui avouer, c'est lui qui s'est lancé.

– Et ? que je demande, accrochée à ses paroles.

– Il est gai.

La révélation me prend par surprise.

– T'es certaine ? Heu... Désolée, c'est vraiment con, ce que je viens de dire.

– J'ai eu un peu la même réaction, dit-elle en souriant. C'est parce qu'il a pas rencontré la bonne fille, que je me disais, que peut-être que s'il essayait de ne pas être gai avec moi... Pffff ! À la seconde où ça m'est passé par la tête, je me suis trouvée tellement ridicule ! Tu sais ce qu'il m'a dit ensuite ? Que je l'inspirais. Peux-tu croire ça ?

Oui. Absolument. Elle est intelligente, hyper talentueuse, elle ne parle pas beaucoup, mais quand elle le fait, elle peut être hilarante. Ne voulant pas l'interrompre sur sa lancée, je hoche simplement la tête.

– Parce qu'il trouve que je garde la tête haute au travers de toute la chnoute que Sarah-Jade peut brasser. C'est bizarre, non ? Pis il a dit que ça lui donnait du courage. Simon avait invité un gars qui l'intéressait à son party, mais comme il est un peu pissou dans ces affaires-là, il était parti pour *choker*, selon lui. Bref, il s'est dit qu'il devait faire comme moi et éviter d'avoir des regrets.

Ce revirement inattendu rend la page de Sarah-Jade encore plus nulle. Tout ça, c'était pour écarter une compétitrice, alors qu'il n'y a jamais eu de compétition. Ni Margot ni Noémie n'avaient de chances.

Eh bien, ce n'est sûrement pas moi qui irai les informer de l'orientation de Simon.

– Et toi, comment tu le prends ? que je lui demande.

– J'étais un peu sous le choc samedi, mais c'est moins pire que je ne me l'imaginais. Simon m'a texté une photo de son nouveau chum. Il y en a au moins un de nous qui est chanceux...

Je me fais la réflexion que dans toute cette histoire, c'est Elliot qui avait finalement raison.

Des parents bénévoles nous incitent à nous dépêcher. Depuis quelques minutes, ils bloquent la circulation à l'intersection d'un boulevard qui longe l'ancienne carrière. Dans le parc, nous rejoignons les cent cinquante élèves de secondaire trois qui devront bientôt courir.

À l'aide de trois bons coups de son sifflet rouge, *coach* Michel attire notre attention. Son fidèle chronomètre lui pend au cou, comme toujours.

– OK, tout le monde, on écoute ! crie-t-il.

En comptant les profs, les parents et les élèves, il y a près de deux cents personnes. Quelqu'un tend un mégaphone au *coach*, qu'il ignore. Artifice superflu. Sa puissante voix n'en a que faire, d'un mégaphone.

– Voici comment ça va se dérouler aujourd'hui ! Tout d'abord, distribution de dossards. À ma gauche, on a les dossards des trois kilomètres. À ma droite...

– Des cinq, complètent les élèves.

– Excellent ! Je vois que vous suivez, dit-il. Cette année, grâce à une de vos camarades, vous avez pu vous inscrire dans la course de votre choix.

Je ne me sens ab-so-lu-ment pas visée.

– Théoriquement, vous devriez vous souvenir de la distance que vous avez choisie. Si on n'a pas votre dossard, vous vous êtes trompé de file. Monsieur Savard, est-ce que je vous dérange dans votre conversation?

Notre pauvre prof de maths s'est fait rabrouer par le coach alors qu'il répondait à un parent venant d'arriver. Il accuse le coup et s'excuse d'un geste de la main.

Coach Michel reprend ses explications. Le trois se courra avant le cinq, pour éviter la congestion sur la piste. À mille cinq cents mètres d'ici, les coureurs feront un demi-tour. Pour ce qui est du cinq, c'est un tour de carrière complet que nous aurons à courir. Et il insiste pour que les élèves s'encouragent entre eux.

– On a des bénévoles le long de la piste pour vous guider. Vous ne pouvez pas vous perdre si vous restez sur la piste de gravier. Surtout, essayez pas de tricher et de couper les coins ronds! Premièrement, on va le savoir. Deuxièmement, une carrière, c'est un trou. J'ai pas envie d'en retrouver un en bas d'une falaise. Il y a des biscuits qui vont vous attendre au fil d'arrivée! Amusez-vous, gang! nous ordonne-t-il.

Pendant que je m'échauffe, Charlotte me demande quel est mon objectif.

– À part battre Sarah-Jade, tu veux dire? Mon PB pour un cinq kilomètres est un peu en dessous de vingt minutes. Mais ça, c'était sur de l'asphalte.

– C'est quoi un PB ? demande Elliot.

– *Personal best*. C'est du *slang* de coureur, que je précise avec un clin d'œil. Sur un chemin de gravier... je sais pas trop. Si je pouvais rester sous les vingt minutes, je serais contente. Toi ?

– Dix-huit, répond-elle.

Pardon ? Dix-huit minutes ! C'est dément comme temps. Je me considère comme une bonne coureuse et je suis encore loin de me rapprocher de dix-huit minutes.

– Coudonc ! As-tu pris des stéroïdes ?

– À vrai dire, Margot et moi, on s'est inscrites dans le trois kilomètres.

– Ahhh, que je fais, déçue. Chouuu !

– On n'est pas aussi fortes que toi, se défend Margot.

– Et comme ça, on va pouvoir t'encourager à ton arrivée, précise Charlotte, toute guillerette.

– Et je serai juste derrière toi, me dit Elliot.

– *Yeah right !* lance Charlotte.

Contrairement à notre évaluation formative au cours du mois d'octobre, plusieurs gars se sont finalement inscrits à la distance la plus courte, certains parce qu'ils sont moins endurants – ou juste moins intéressés par la course à pied –, mais d'autres sont d'excellents coureurs. Ce qui me porte à croire qu'ils chercheront à faire des temps très rapides.

Tous ceux qui ne courent pas s'installent sur le bord de la piste.

Le premier coureur du trois kilomètres termine en un peu plus de douze minutes trente, une bonne minute devant son plus proche rival. Un très bon temps.

Avec ses cheveux mauves, Charlotte est facilement repérable au loin. À ses côtés se tient Margot. Elles courent au même rythme. Elliot et moi crions pour les encourager jusqu'à ce qu'elles franchissent le fil d'arrivée.

Après avoir félicité les filles, je commence mon échauffement. Il y a toujours un peu de nervosité avant une course. Un mélange de fébrilité et de stress qui disparaîtra dès que le signal de départ aura été donné. Entre-temps, ça me donne envie et m'oblige à m'éloigner un peu de la foule pour aller faire pipi derrière un buisson.

La température a continué de se réchauffer. Il doit maintenant faire près de quinze degrés. Dire qu'il y a quelques jours, on gelait comme des crottes en attendant Margot à l'arrêt d'autobus ! C'est un peu frais quand on ne bouge pas, mais ce sera idéal pour courir. Un peu chaud, même.

J'enlève mon manteau et mon survêtement de toile et les tends à Margot.

– Garde ça pour moi, veux-tu ?

Short noir et camisole bleu électrique. Je n'ai besoin de rien de plus. Les filles me regardent comme si j'étais folle, mais je connais mon corps. Je sais parfaitement comment il réagit.

Je me faufile entre les coureurs pour être la première sur la ligne de départ, où je continue de sautiller pour maintenir mon rythme cardiaque à une fréquence plus élevée.

– Il y en a qui devraient se garder une petite gêne, dit une voix trop familière.

Sarah-Jade s'adresse à William et à Zach, mais elle parle assez fort pour que tout le monde l'entende, surtout moi.

– Quand la nature ne t'avantage pas, tu ne mets pas du linge qui en révèle autant. En tout cas, moi, j'ai pas envie de voir ça.

Bitch !

Je ne devrais pas répondre à cette chipie. Le mieux serait de l'ignorer. Mais c'est plus fort que moi.

– Hé, Sarah-Jade ! Tu comptes ramasser combien pour Movember ?

Plusieurs gars autour de nous pouffent de rire. Sarah-Jade est bleue de colère. Bien. *Coach* Michel empêche la situation de dégénérer en amorçant le décompte. Le klaxon sonne. Le départ est donné.

Le peloton de départ est formé d'une dizaine de coureurs. Notre vitesse est beaucoup trop rapide. C'est une constante, on dirait. Nous cherchons tous à imposer notre rythme, à être les premiers, et à éviter d'être pris dans un bouchon au premier tournant, vu l'étroitesse du sentier qui constitue la piste.

Deux gars qui ne sont pas dans ma classe prennent les devants. Vient ensuite Sarah-Jade, puis moi. Elliot me suit, pris entre Zach et William. Au premier virage sur la droite, Sarah-Jade coupe à l'intérieur et dépasse les meneurs. Je l'imite quelques mètres plus loin lorsque le sentier reprend sur la gauche.

À la première fourche, un parent et un prof nous encouragent et nous indiquent de prendre le chemin à droite. C'est à ce moment que les deux comparses de Sarah-Jade accélèrent et me dépassent. Ça ne m'inquiète pas le moins du monde. Ils courent bien au-delà de leurs capacités. Ces deux-là ne font que brûler leur énergie plus rapidement.

Sauf qu'ils se placent côte à côte au milieu du chemin et ralentissent. Exactement comme je l'avais prévu.

– Attention à gauche ! que j'avertis, mais lorsque je vais pour dépasser, les deux gars me bloquent le chemin.

– Tassez-vous !

M'écoutent-ils ? Bien sûr que non ! Zach regarde par-dessus son épaule et s'assure de bloquer ma ligne. Nouvelle tentative de dépassement, je passe à un cheveu de me retrouver dans les broussailles. Pendant qu'ils entravent le sentier, Sarah-Jade en profite pour mettre une vingtaine de mètres de distance entre nous.

Sarah-Jade qui triche, comme c'est original.

J'ai le goût de leur faire une jambette, pareil comme leur patronne m'a fait. Ce serait trop beau de les voir voler.

Une ouverture se forme entre les deux garçons. C'est ma chance. Je pousse pour traverser au milieu, mais en voyant Zach refermer l'écart, je bifurque vers la droite. Sauf que Zach ne voit pas William faire un pas vers le milieu au même moment. Les deux gars se cognent, s'enfargent et roulent au sol. Par miracle, aucun des deux ne m'entraîne avec lui dans la petite roche.

OK, Laurie. Rattrape le temps perdu, mais gère ton énergie. Il n'y a qu'un kilomètre et demi de parcouru. T'es capable.

À chaque tournant, Sarah-Jade disparaît derrière les arbres nus pour réapparaître quatre secondes plus tard lorsque je la suis dans la courbe. J'aborde les virages comme si j'étais une voiture de Formule 1. Ma ligne de course est optimale, il y a peu de perte de vitesse et d'énergie. Ce qui me permet de rejoindre Sarah-Jade lorsque le sentier tourne en épingle à l'extrémité sud du parc. Je la rattrape et la dépasse.

Continue comme ça.

Ma vitesse est bonne, très rapide. Plus rapide que mes prévisions. Il faut croire que les exercices du *coach* ont porté leurs fruits. Je devrais probablement continuer à en faire pendant l'hiver... Et moi qui pensais me libérer des *squats* et des intervalles pour un bout.

Aucune course n'a été aussi facile ! Je suis tellement dans ma zone !

Ma respiration est lente et mes muscles, gorgés de Mountain Dew, reçoivent tout l'oxygène dont ils ont besoin pour performer.

Mon cerveau commence à ressentir les effets des endorphines. Je souris. Le bruit régulier de mes pas sur le gravier est une douce musique à mes oreilles.

Pendant sept cents mètres, Sarah-Jade accuse une dizaine de mètres de retard sur moi, mais elle revient à la charge. Nous entamons la dernière ligne droite ensemble. Toute une ligne ! Sur près d'un kilomètre, nous courons avec le boulevard à notre gauche et le trou de l'ancienne carrière à notre droite.

Le soleil dispense ses rayons. Un automobiliste klaxonne. De la sueur me coule dans le front. Des feuilles orangées recouvrent la piste et craquent sous notre passage. Je n'arrive pas à consulter le cadran de ma montre. Honnêtement, je m'en fous.

À ma gauche, Sarah-Jade rage. Sa respiration est forte, saccadée. Ses muscles sont tendus. Chaque pas lui tire un petit cri de douleur.

Lorsque l'une d'entre nous accélère, l'autre compense. Nous démarquer de notre compétitrice semble relever de l'impossible. Il va bien falloir y arriver, pourtant.

À cinq cents mètres, je remarque le fil d'arrivée. Les profs, les parents ainsi que nos camarades de classe sont tous sur le bord du sentier. J'entends leurs cris. Le nom de Sarah-Jade se mêle au mien.

En voyant mes amis au loin, mon cerveau décide de produire une ultime dose d'adrénaline. La fatigue, qui commençait à s'installer, est repoussée. Ceci est le moment le plus important de ma vie et mes amies sont là pour moi, à crier pour m'encourager.

Des inconnus scandent mon nom. Pour un bref instant, une émotion si intense s'empare de moi que j'en ai les larmes aux yeux.

Le plus bizarre, c'est que ce vacarme me nourrit, me donne des ailes et me porte jusqu'au fil d'arrivée.

Chapitre 2-20

– Elle a disparu ! La page n'est plus là ! nous annonce Margot, folle de joie, en s'assoyant à table.

– Pour vrai ? qu'on s'exclame tous.

Elliot et Charlotte bondissent sur leurs cells pour vérifier par eux-mêmes, tandis que Margot me tend le sien. La nouvelle est si bonne qu'ils n'osent pas y croire. Je rafraîchis la page de son fureteur, effectue une recherche. Rien. La page et le site ont bel et bien été supprimés. Enfin !

– C'est pas trop tôt ! soupire Charlotte.

– « L'admin », dit Elliot en appuyant sur le mot, a dû finir par comprendre. Eille, j'ai encore passé la soirée d'hier à *troller* la page ! J'ai l'ai *blastée* solide. Il y a plein de monde qui a *liké* mes statuts. Et au nombre de fois que je l'ai dénoncée à Facebook, ça a dû finir par payer. Dès qu'elle va vouloir créer une page dans le futur, il y a une alerte qui va sonner dans le bureau de Mark Zuckerberg.

Les effets de la bombe à paillettes se sont évanouis avec la fin de semaine. C'est comme si rien n'était arrivé. Sarah-Jade a retrouvé sa table, sa clique et toute son influence.

Sous sa plus récente couche de fond de teint, on peut voir qu'elle a encore le visage rougi par la course de cet avant-midi. Quand elle s'est assise sur William, une grimace est passée sur son visage, signe que ses muscles en ont pris pour leur rhume. Demain, l'acide lactique la fera horriblement souffrir.

Nous avons franchi le fil d'arrivée en même temps. Comme nous n'avions pas de puce électronique, il a été impossible de déterminer qui de nous deux était la première. Ça devait se mesurer en centièmes de secondes. *Coach* Michel a examiné quelques vidéos filmés par les élèves. À quelques détails près, tous les enregistrements racontaient la même histoire : nous sommes arrivées *ex æquo*. La seule différence, c'est qu'on aurait dit que Sarah-Jade allait s'évanouir... ou vomir. Ou vomir puis s'évanouir. En allant se chercher de l'eau et des biscuits, elle s'est effondrée sur le gazon.

Lorsque la cloche sonne pour nous rappeler de retourner en classe, Sarah-Jade se mêle à la foule.

– C'était vraiment dégueulasse, cette page-là. C'est pour ça que je l'ai jamais *likée*.

– Mais tu m'as dit... commence Noémie, qui ne comprend pas.

– Je t'ai dit, insiste Sarah-Jade, que j'avais envoyé un message à l'admin. En tout cas, je veux pas dire que c'est grâce à moi si la page a été supprimée, mais tsé... Elle n'est comme plus là, par contre.

– Tu penses que c'est à cause de toi... ?

Pauvre Noémie. Elle est pas vite vite à comprendre le petit jeu de son amie.

– Ben ! fait Sarah-Jade comme si c'était une évidence. Allo, No, fais un plus un ! J'envoie un message et la page disparaît. C'est comme un lien de cause à effet, non ?

Évidemment que c'est à cause d'elle ! C'est elle qui la gérait, la page ! On dirait un criminel qui se dénonce pour toucher la récompense. Je sais pas qui elle cherche à convaincre. Elle est pathétique à chercher à s'innocenter ainsi. Entre la table de la cafétéria et le quatrième étage, elle ne cesse de répéter qu'elle, au moins, n'a jamais aimé la page.

Le pire, c'est qu'il s'en trouvera pour la croire. À force de détermination et d'une foule de petits mensonges, Sarah-Jade va réussir à dorer son image. C'est elle tout craché. Cette fille est détestable. Elle ferait une excellente politicienne.

– Menteuse… que je me dis.

– Qui ? demande Margot.

– J'ai rien dit.

Est-ce que je me suis encore trompé de volume, moi ?

Charlotte me fixe, le regard perçant.

– Quoi ? que j'ajoute.

Dans ses yeux, je vois que son esprit s'active. Il y a un déclic. Une révélation.

– C'était toi… commence-t-elle.

Puis, son cerveau travaille à faire les liens. Les engrenages tournent. Charlotte est loin d'être une Noémie et elle arrive facilement à réunir tous les indices.

Je tente une diversion :

– On va être en retard au cours.

Ça ne convainc personne.

– Ce matin, dans le sous-sol… L'enveloppe que tu collais, je n'y ai pas prêté attention sur le coup, parce que tu m'as distraite avec l'épisode d'Elliot. C'était la case de Sarah-Jade ! Ha ! C'est clair, maintenant. Hier après-midi, je voulais te parler, mais tu n'as répondu à aucun de mes messages, ni sur ton cell, ni sur Skype, ni sur Facebook. T'es beaucoup plus rapide que ça d'habitude. C'est parce que tu étais occupée à *hacker* la page !

– C'est pas parce que je ne réponds pas à mes messages que ça fait de moi une *hacker* !

– Non, mais tu oublies les deux tomes du *Manuel du hacker* qui traînent sur ta table de chevet.

– Comment tu sais ça ?

– J'ai une mémoire photographique ! Comment pensez-vous que je retiens autant d'information ?

Je le répète : j'aurais été parfaitement contente de vivre dans le plus pur anonymat. Ce que j'ai fait, je ne l'ai pas fait pour une quelconque reconnaissance. Je ne veux pas de médaille. Je souhaite seulement qu'on arrête d'achaler Margot, qui ne mérite absolument pas ce qui lui est tombé dessus. Ce *hack*, je l'ai fait pour elle. Les voies officielles, comme notre directeur les appelle, sont trop lentes.

– Je… Ça ne prouve rien.

– *Come on*, Laurie. Tu peux nous le dire.

Je prends une inspiration et avoue :

– OK. C'est vrai. Ça faisait trois semaines que j'essayais de remonter à la source, et j'ai enfin réussi hier.

Rapidement, je leur résume mes échecs répétés. Je ne leur dis rien du programme que Guillaume m'a refilé et qui m'a aidée à enfin réunir les preuves dont nous avions besoin. Ils croient plutôt que c'est l'aveu de Sarah-Jade, que j'ai surprise dans les toilettes vendredi dernier, qui m'a redonné confiance.

– Ah, la salope ! s'exclame Margot.

Ce n'est pas tous les jours qu'elle se laisse ainsi aller.

– La prochaine fois, Elliot, vomis direct sur Sarah-Jade, suggère-t-elle.

– Est-ce qu'on peut arrêter de parler de mon vomi ? implore celui-ci.

– Le cerveau de l'opération, c'est Sarah-Jade. Mais comme elle n'allait pas se salir les mains, c'est William qui gérait la page. S'il se fait pincer, elle pourra toujours nier son implication.

– On se croirait dans un épisode de *Arrow* ! fait Elliot.

– C'était quoi, dans l'enveloppe ? me demande Margot.

– Des preuves irréfutables la reliant à William et à la page.

– Mais attends, tu ne viens pas de dire qu'elle n'avait pas laissé de traces ?

– J'ai trouvé des textos sur le cell de son chum où elle lui dit quoi faire. C'est assez clair que c'était son idée.

– Tu as piraté le cell de William ?

J'omets le détail que ce n'est pas moi personnellement qui ai piraté le cell de William, qu'il a fallu que
je fasse appel à une connaissance obscure et ce que
ça va me coûter. C'est mieux qu'ils ne soient pas au
courant.

– Pis l'hypocrite qui crie sur les toits qu'elle a
toujours condamné la page ! Non, mais ! Pour qui
elle se prend ? On devrait aller porter ça à monsieur
Monette. Non, mieux ! Le voilà, le sujet pour mon
article !

J'arrête tout de suite Elliot.

– Non. Écoute, le but, c'était que la page disparaisse. Objectif atteint. Elle ne doit pas apprendre
que ça vient de moi. S'ils se sentent surveillés, ils
vont peut-être se tenir tranquilles. La dernière chose
dont j'ai envie, c'est d'attirer leur attention sur moi.
Vous devez me promettre que ça va rester entre nous.

– Promis, répondent Charlotte et Margot.

Elliot est silencieux. Il me regarde avec des points
d'interrogation dans les yeux.

– Elliot ? que j'insiste.

– Je ne comprends pas. Ce que tu as fait... c'est
formidable.

Mon refus le fâche.

– Les gens vont enfin savoir qui elle est réellement. Et toute l'école va savoir que c'est grâce à toi.
T'es une héroïne !

– Tu te trompes, Elliot. Si ça sort, si on sait que
c'est moi qui ai fait ça, je vais être dans le trouble
solide. Promets-moi de ne rien révéler, OK ?

Chapitre 2-21

On se fait descendre. Encore !

Urgh !

Ça fait onze... non, douze fois de suite qu'Elliot nous fait répéter la même manœuvre qui se termine par le même échec.

– Essayez de suivre, nous blâme-t-il. Je sais pas ce que vous essayez de faire, mais ça n'a rien à voir avec la stratégie que je vous ai demandé de pratiquer. Charlotte, ton approche était négligée; Margot, tu es toujours en retard d'une seconde; Laurie, à quoi t'as pensé ? Je pensais que t'étais plus *hot*...

Ce sont probablement ses meilleurs commentaires de la soirée. Il a été limite insultant. Si Margot se contente de soupirer, Charlotte et moi serrons la mâchoire à nous en broyer les dents.

Ça fait douze fois qu'on se fait ramasser par des NPC, des combattants sans âme et sans vision contrôlés par les serveurs de KPS. Et le niveau de difficulté n'est même pas réglé au maximum. C'est pathétique.

– Encore, ordonne Elliot.

Si l'internet ne ment pas, Einstein aurait un jour dit que la folie, c'est de répéter les mêmes actions en espérant des résultats différents. Notre capitaine est fou. Sérieusement têtu. *Borderline* dictateur. Voire tyrannique. Et il est comme ça depuis qu'on a commencé notre pratique, la dernière qu'on peut se permettre avant le tournoi, qui se tiendra ce samedi.

Ce soir, Elliot ne fait que nous critiquer. Il n'a pas encore eu un seul bon mot pour nous. Il est pire avec moi. Maintenant que j'y pense, ça remonte au début de la semaine. Il a été bête, m'a même boudée toute la journée de mardi. Un vrai bébé. Je ne comprends pas pourquoi.

La compétition est dans deux jours. Si ça continue comme ça, je ne donne pas cher de nos pixels. Les stratégies, c'est bien, mais quand elles ne fonctionnent pas, on devrait pouvoir se fier à notre instinct. Elliot doit nous laisser plus de liberté.

Je n'en peux plus. Elliot rejette toutes nos suggestions en nous martelant qu'il faut suivre son plan. « Mais il est nul, ton plan ! » que j'ai envie de crier. Il essaie de nous faire attaquer une position renforcée en nous faisant tous passer par le même endroit au même moment. Il croit que ça prend plus de puissance de feu pour percer leur défense. Ce qu'il faut faire, c'est répartir nos forces et attirer nos ennemis à l'extérieur. Et cette fois-ci, je passe à l'action… sans l'avertir.

Avant qu'Elliot ne s'en rende compte, Stargrrrl abat une demi-douzaine d'ennemis. Ce qu'on n'a jamais réussi à faire à date avec son plan minable. Mais au lieu de construire sur ce gain, il interrompt la partie.

– Qu'est-ce que tu fais, Laurianne ? C'est pas ça, le plan ! Arrête de vouloir prendre ma place, c'est moi le capitaine ! dit-il en arrachant son casque d'écoute.

– Tu t'es pas encore rendu compte qu'il ne fonctionnait pas, ton plan ? Pis j'en ai rien à faire de ta place.

– On le sait bien. Si c'était juste de toi, tu t'en occuperais toute seule ! me lance-t-il en se levant de sa chaise.

Pourquoi ai-je l'impression qu'il ne fait pas référence à la partie en cours ?

– De quoi tu parles ?

– Depuis que t'es arrivée en ville que tu rêves de repartir dans ton village ! me lance-t-il au visage.

Je fige dans ma chaise, écrasée par le poids de ses paroles.

– Non… que je commence à répondre, mais Elliot me coupe la parole.

– Essaye pas de nier ! Tu le sais que c'est vrai. T'as pas arrêté de nous mentir, de nous cacher des choses.

– C'est pas vrai, que je dis faiblement.

– Ah non ? Et la bombe à paillettes, tu allais nous le dire quand ?

– C'était toi aussi ? me demande Charlotte.

Plutôt que d'en assumer la responsabilité, je hausse les épaules, comme une enfant qu'on vient d'attraper la main dans la jarre à biscuits.

De l'autre côté de la table, Elliot marche de long en large.

– Quand on est allés chez toi, il y avait une feuille qui traînait sur ton bureau. Je l'ai ramassée comme ça, par hasard. C'était un plan. Sur le coup, ça ne voulait rien dire. C'était juste un autre morceau de plus au casse-tête de Laurianne.

Il faut vraiment que je range mieux ma chambre.

– En plus, une seconde avant que ça explose, tu nous as avertis. Tu voulais qu'on sache, qu'on voie Sarah-Jade se faire humilier. Ce que je n'ai pas compris, c'est pourquoi tu ne nous as rien dit après. Et pour le *hack* de la page non plus. Tu as passé trois semaines à essayer de la pirater sans rien nous révéler ! Peut-être que j'aurais pu t'aider ?

– Tu sais même pas coder, lui rappelle Margot.

– C'est pas ça, la question ! explose-t-il. L'affaire, c'est que Laurianne ne nous fait pas confiance.

Pourquoi est-ce qu'il fait ça ? Pourquoi est-il en train de tout détruire ?

– Pis c'est sans compter Sam… commence-t-il à dire.

– Quoi, Sam ? fait Charlotte.

– Quoi, Sam ? que je demande, redoutant sa prochaine révélation.

Elliot s'arrête devant moi.

– Quand est-ce que tu allais nous dire que tu sortais avec ?

Comment… ? Ce n'est même pas clair pour moi, tout ça ! Pourquoi révèle-t-il mes secrets ainsi ? Est-ce que j'ai le droit de départager mes sentiments avant d'être obligée de faire une annonce publique ? Il me semble que c'est à moi de choisir le moment où je vais en parler. C'est à moi de le dire quand je serai prête…

– La vérité, c'est qu'on est juste des bouche-trous en attendant qu'elle retourne dans son patelin.

Sans que je puisse me retenir, les larmes me montent aux yeux. Je devrais me lever, claquer la porte et rentrer chez moi, mais j'en suis incapable. Les mains dans le visage, je pleure.

– OK, Elliot ! C'est assez. Calme-toi, intervient enfin Charlotte.

Margot vient me flatter le dos. C'est vrai que ça fait du bien.

Quand j'arrive à me contrôler, je leur avoue qu'Elliot a raison. Que les premiers jours, je voulais retourner chez moi. Que j'aurais fugué si je m'en étais crue capable ! Oui, j'ai encore le mal du pays. Mon chez-moi est encore là-bas.

– Ha ! fait Elliot.

– Donne-moi un *break*, OK ? Tu sais rien ! Tu sais pas… C'est pas pour les raisons que tu crois.

– Si tu nous racontais, peut-être que… suggère-t-il, soudainement bien moins agressif.

Il sait qu'il est allé trop loin. Il tente de se reprendre. Son ton est plus conciliant.

– Pas ce soir, OK ? que je parviens à dire avant que ma voix ne s'étrangle. C'est… c'est trop dur. Je ne suis pas assez forte. Mais je vous promets qu'un jour, je vais tout vous dire. OK ? Juste pas là.

Du regard, je l'implore de laisser tomber le sujet. Il hoche la tête.

– Quand on a déménagé, mon père et moi, j'ai eu l'impression de tout perdre. Mes repères, mes amis, Sam… Depuis que je vous ai rencontrés, j'ai de nouvelles racines. Je suis désolée… Je vous aime vraiment. Si vous n'aviez pas été là, je serais sûrement en train de monter un plan sans queue ni tête avec Sam pour retourner là-bas.

– Pourquoi tu ne nous as rien dit ? Est-ce que c'est vrai, ce qu'Elliot dit, que tu ne nous fais pas confiance ? demande Margot. Tu crois qu'on ne peut pas garder un secret ?

– Non ! Au contraire, c'était pour vous protéger. Ce que j'ai fait pour démasquer Sarah-Jade… Disons que c'était loin de tout être légal. Je ne voulais pas que vous vous retrouviez complices de mes actions.

Charlotte lance un regard sévère à Elliot, et d'un signe de la tête, l'incite à dire quelque chose.

– Je m'excuse, Laurie. Hum… C'était pas correct de ma part. J'ai réagi de façon excessive. J'aurais pas dû exploser comme je l'ai fait. Amis ? me dit-il en me tendant la main.

Une poignée de main ? C'est juste trop bizarre. J'attire Elliot vers moi et le serre dans mes bras.

– Non, c'est moi qui m'excuse, que je dis. J'aurais dû vous parler plus tôt. Plus de secrets, promis.

Chapitre 2-22

Les cinq alarmes n'ont pas eu besoin de sonner que j'étais déjà debout. Je tourne en rond comme une lionne en cage. Mon cœur palpite et de drôles de frissons me parcourent le corps.

Calme-toi, Laurie. Respire.

– Tu devrais texter Sam pour te changer les idées, me suggère mon père en bâillant.

Pauvre papa, le tapage que j'ai fait en me préparant l'a réveillé.

– Déjà fait. Il ne répond pas.

– Peut-être qu'il dort. Les humains normaux essaient parfois de rattraper leur sommeil le samedi matin.

– Pas Sam.

– Ben, il faudrait que tu trouves un moyen de canaliser ton énergie, parce que tu commences à m'étourdir. Je sais pas, moi. Passe l'aspirateur, lave la vaisselle…

– Ha ha ! Bien essayé. Pis je me suis occupée de la vaisselle il y a une demi-heure.

Papa me donne un bec sur le front puis allume la machine à espresso.

– C'est à dix heures, ta compétition ? Va donc courir un peu.

Bonne idée ! Pourquoi n'y avais-je pas pensé plus tôt ? En moins de temps qu'il le faut pour dire « le tournoi de *La Ligue des mercenaires* aura lieu dans trois heures », je m'habille et sors courir. Cinq kilomètres plus tard, mon esprit retrouve son calme et sa concentration. Juste pour être sûre, je m'en tape trois autres.

De retour à l'appart, je saute dans la douche et me prépare. J'enfile une dizaine de tshirts, change de pantalons trois fois avant de trouver le bon ensemble : jeans kaki, chandail blanc à manches trois quarts, veste noire. J'attrape mon cell et mon casque d'écoute, que je plonge tous deux dans mon sac en bandoulière, et me dirige vers La Grotte. Il n'est pas encore 8 h 30 lorsque j'entre dans la boutique.

On dirait que je n'étais pas la seule à être anxieuse, ce matin. Déjà, une vingtaine de personnes s'y trouvent, dont Elliot, qui révise son cahier de stratégies.

– Nerveux ? que je lui demande.

– Moi ? Pffff ! Non, commence-t-il par dire en balayant l'air de la main. Ben, peut-être un peu, j'avoue. Mais ça va bien aller. Mes coéquipières sont les meilleures. C'est dans la roche… heu, j'veux dire « dans la poche », se rattrape-t-il en essayant d'avoir l'air confiant.

– Sais-tu contre qui on joue ?

Elliot fait signe que non de la tête.

– Guillaume n'a rien voulu me dire. Il doit y en avoir quelques-uns qui sont déjà là, ajoute-t-il en indiquant la foule.

Elle est plutôt disparate, la foule. À en juger par le silence qui règne, j'en déduis que la plupart sont des joueurs et qu'ils sont tout aussi nerveux que nous. Les plus jeunes ont neuf ou dix ans et sont accompagnés d'un parent. Sur une des chaises, il y a un gars affalé. Il est un peu plus vieux que nous. Il dort, si j'en juge par l'inclinaison de sa tête. Et son ronflement. Le ronflement est un indice assez révélateur qu'il dort. Plus loin, deux hommes plutôt bedonnants se réchauffent les mains sur leurs tasses de café. Pas beaucoup de filles, à ce que je constate. À date, je suis la seule. Avec Charlotte et Margot, nous serons trois.

La Grotte est méconnaissable. Guillaume a dû travailler toute la nuit pour transformer sa boutique en arène. Plutôt que de confiner les joueurs à la salle de jeux, il a disposé deux rangées d'ordinateurs face à face. Quelques chaises pliantes ont été disposées pour un éventuel public, dont je devine qu'il se limitera aux amis ou aux membres de la famille des joueurs. D'énormes téléviseurs ont aussi été fixés au mur derrière pour que le public puisse suivre l'action.

À partir de 9 heures, la place se remplit. D'autres gamers inscrits au tournoi viennent rejoindre leurs camarades. Les deux derniers membres de notre équipe arrivent ensemble. Margot a retrouvé son sourire, à croire que les événements des dernières semaines n'ont pas laissé d'empreinte sur elle.

Le bon vieux carillon, qui a été réinstallé le premier jour de novembre, ne cesse de sonner. Chaque minute, une nouvelle personne entre dans la boutique.

Elliot me tape l'épaule et indique la porte.

– Qu'est-ce qu'ils font ici, eux ?

Quoi ? Mais c'est de l'acharnement ! Moi qui croyais que nous aurions enfin la paix, il faut qu'elle rapplique ici avec sa clique ? Sarah-Jade fait son entrée et jette un regard de dédain sur l'endroit et les joueurs.

– Quelle surprise ! dit-elle platement. Les geeks sont là. C'est une réunion familiale ? Non, je sais. Vous vous demandez si c'est *Star Wars* ou *Star Trek* qui est le meilleur. Je vais vous dire un secret, les deux sont poches égal !

Quelques gamers se retournent à cette déclaration et se mettent à protester, mais Sarah-Jade les rembarre. Elle a du culot.

– Qu'est-ce que tu fais ici, Sarah-Jade ? Tu n'avais plus de petits animaux innocents à torturer ? lui lance Charlotte.

– Je me suis dit que ça serait drôle de voir si je pouvais me faire saigner les yeux en regardant ta tête de Popsicle.

– OK, c'est assez ! intervient Elliot. Garde ça pour le tournoi, Charlotte. Quand on va en avoir fini avec elle, ses insultes, elle va pouvoir les plier en deux et se les mettre où je pense.

– Oh, t'aimerais ça, pas vrai ? C'est là que tu te trompes. Je ne savais pas que vous étiez inscrits, et ça ne m'aurait pas fait un pli si je l'avais su. Si je daigne mettre les pieds ici, c'est pour encourager mon chum. Il va vous botter le cul, *losers* !

Son inséparable complice à ses côtés, William vient passer un bras autour de l'épaule de Sarah-Jade.

– Ça va, *babe* ?

On pourrait me forcer à avouer que William a de beaux cheveux, qu'ils sont volumineux, qu'ils ont de la texture et lui offrent plus de possibilités que les miens et que ça me rend un peu jalouse. Je pourrais aussi lui dire que la petite toque qu'il se noue tous les jours, c'est ridicule. Comme ce n'est pas mon ami, qu'il ait une tête de clown me laisse complètement indifférente. Mais ce matin… Ouf ! Ce n'est vraiment pas son meilleur look. J'ai un peu honte pour lui.

Une tresse française lui orne la tête, telle une crête. Elle part de son toupet et descend jusqu'à sa nuque. Je miserais un abonnement d'un an à la *Ligue* que c'est Sarah-Jade qui lui a imposé cette abomination.

– Belle tresse, que je dis.

– Merci, me répond-il, incapable de relever mon ironie.

Pour une millième fois ce matin, le carillon de la porte d'entrée tinte. Mon cœur s'arrête subitement. Suis-je en train d'halluciner ? Je n'entends plus la cacophonie ambiante.

Sam vient d'entrer dans La Grotte.

Sam vient d'entrer dans La Grotte ?

– Sam ?

– Hé ! me lance-t-il.

Voilà deux fois en deux semaines qu'il me prend par surprise. Ça devient une habitude, ma parole ! Cette fois, je ne reste pas hébétée devant lui, je le serre dans mes bras et lui donne même un bisou sur la joue. Il sourit. Je souris. Nous rions, un peu gênés.

– Sam ! Qu'est-ce que tu fais ici ? dit Charlotte. Tu t'es tapé toute cette route pour venir nous encourager ?

– Heuuu… Oui et non. En fait, je me suis dit que ça serait le fun de vous battre en finale, nous annonce-t-il avec un clin d'œil. Nico et moi, on s'est organisé une équipe.

– Non ! Sérieux ?

Je suis si heureuse de voir mon meilleur ami que je n'ai même pas remarqué que Nico est là, lui aussi. Les deux autres joueurs de leur équipe sont Émile et Mylène. Émile est en secondaire un. Il va à mon ancienne école. Dépassant Margot d'une tête, il est plutôt grand pour son âge, mais aussi plutôt frêle de constitution. Ses cheveux foncés sont en bataille. Un grand maigre avec trop de cheveux. On dirait un mini Sam. Quant à Mylène, je me souviens l'avoir croisée au village. Un tel look, ça ne s'oublie pas ! La teinture de ses cheveux est plus noire que la couleur naturelle de ceux de Charlotte. Elle a une demi-douzaine d'anneaux à chaque oreille, de même qu'un anneau dans le septum nasal. Derrière son oreille droite, elle a un petit tatouage de dragon. Son manteau est noir, ses jeans sont noirs, son chandail est noir et je me doute que tout le reste aussi. Et elle s'est souligné les yeux en noir.

Elle nous salue simplement du menton.

– Elle, c'est une goth, souffle Margot à Elliot.

– J'espère qu'on va jouer contre vous, me dit Nico. Pas en première ronde, parce que ce serait plate de vous sortir si tôt.

– Dans tes rêves, mon grand !

Sam me glisse à l'oreille qu'il aimerait me parler une minute en privé. Nous nous glissons à l'extérieur du magasin, où il sera plus facile de tenir une conversation. Avec la compétition qui s'en vient, les esprits sont excités.

– Ça va ? que je lui demande.

– Oui. Toi ?

– Oui. C'est vraiment *hot* que tu te sois inscrit. Honnêtement, je sais pas comment tu as fait pour garder le secret. C'est tellement pas ton genre ! Jamais je ne m'en suis doutée. T'es vraiment trop con, tu aurais pu me le dire, que je lui lance en lui assénant une bine.

Normalement, une bine, ça dégourdit. Ça provoque une réaction, ça arrache un cri ou un rire. Sam ne me relance pas, se contentant de se frotter le bras.

– T'es certain que ça va ?

– Euh... Laurie, je voulais te parler. Il n'y a pas de bons moments pour ce que j'ai à te dire, et je voulais pas faire ça par texto ou sur Skype. Il me semble que ça aurait juste trop pas de classe. Je voulais pas attendre à plus tard.

Bon, ça y est. Il veut m'envoyer à l'hôpital. Tout d'abord, mon cœur s'est arrêté quand je l'ai vu apparaître, puis il me scie les jambes. Je sais très bien où il s'en va avec tous ses avertissements.

– T'es ma meilleure amie, Laurie. Pour moi, il n'y a rien au monde qui est plus important. Et je crois... je crois que je n'ai pas le goût que ça change. Je suis pas confortable avec ce qui est en train de se produire entre nous. Je pense que tu ressens la même chose. Tu veux, mais en même temps, tu ne veux pas, pas vrai ?

La bouche sèche, je suis incapable de lui répondre.

Pourquoi n'en a-t-on pas parlé il y a trois semaines avant que tout cela arrive ? Mes émotions ont joué aux montagnes russes. Un jour, je pensais comme lui. Et le lendemain, je le voyais dans mon verre de jus d'orange. Ça m'a obsédée, cette histoire. À tel point que je me suis surprise à espionner sa page Facebook.

Malgré moi, je fais signe que oui de la tête.

– Il y a trop à perdre, continue-t-il. Et en plus, j'ai toujours l'impression que c'est un peu *weird* quand on s'embrasse, genre Luke et Leia *weird*.

Je ris, car je me suis dit exactement la même chose. On pense pareil, lui et moi.

C'est bizarre, parce que cette première rupture me fait mal, mais du même coup, c'est comme si on venait de me retirer un fardeau. Je suis reconnaissante que Sam ait pu trouver la force de faire ce qui s'imposait. Pour toutes les mauvaises raisons, je me serais acharnée à entretenir un rêve qui aurait abouti en cauchemar.

Lui et moi, ça pourrait marcher, mais pas tout de suite. Un jour, peut-être...

– C'est toi qui as dit à Elliot qu'on s'était embrassés ? que je lui demande.

– Oui, on s'est croisés sur la *Ligue*. Pis, je sais pas, après notre partie, on a continué à jaser et de fil en aiguille... T'es pas fâchée ? me demande-t-il en me poussant, ce qui lui vaut automatiquement une bonne bine sur le bras. Ouch ! Elle, elle a fait mal !

– Ben non, niaiseux. Je ne suis pas fâchée. Je t'aime, que je lui dis.

Tous les deux, nous savons ce que ce « je t'aime » veut vraiment dire.

– Je sais.

Pour la première fois depuis que nous nous sommes embrassés chez Oli, l'accolade que nous nous donnons n'a rien de maladroit. Elle est juste parfaite. Je perds un presque-premier-chum, mais je retrouve mon meilleur ami. J'en sors gagnante.

– Venez-vous-en ! Ça va commencer, nous crie Elliot depuis la porte de La Grotte.

Nous rentrons à l'intérieur et nous faufilons au travers de la foule. Guillaume, micro à la main, a entamé son discours :

– Bienvenue à ce premier tournoi de *La Ligue des mercenaires* !

C'est une petite compétition locale, mais Guillaume a été surpris par la réponse des gens. Huit équipes de quatre personnes se sont inscrites, ce qui explique que la boutique soit aussi bondée un samedi matin. Après avoir fait un rappel des règlements et du déroulement du tournoi, il enchaîne :

– OK... Vous n'êtes pas venus ici pour m'écouter parler. C'est le moment de vous présenter nos mercenaires !

Pour gagner du temps, Guillaume souhaite aussi procéder au tirage au sort. Il attrape le casque de Boba Fett sur le comptoir-caisse et y dépose huit morceaux de papier sur lesquels ont été écrits les noms des équipes.

– J'aurais besoin d'un volontaire. Euh... Mademoiselle, dit-il en pointant Sarah-Jade. Voulez-vous venir me donner un coup de main ?

– Pfff ! Dans tes rêves, répond-elle.

La foule rigole. Guillaume est un peu décontenancé par sa réponse. Il poursuit :

– OK... Vous, monsieur ?

– Avec plaisir, répond mon père, en me saluant de la main.

Tiens ! Je ne l'avais pas vu arriver. Guillaume lui tend le casque du chasseur de primes le plus célèbre de la galaxie fort fort lointaine et l'invite à piger un nom.

– La première équipe... les Cobra Kai !

En entendant le nom de leur équipe, quatre cégépiens à casquette se mettent à hurler comme de vrais fous, leurs cris se transformant en grognements de gorilles.

– Des *douchebags*... commente Elliot.

Lors de cette première ronde, les primates affronteront les Attari_Attaboy, une équipe formée de quarantenaires barbus au front clairsemé, des vétérans du jeu vidéo, à ce que je peux deviner. Ceux-ci se contentent de se faire des *high five*. OnEst-VenusDuNordPourGagner, l'équipe de Sam, devra se mesurer aux Natural Born Gamers. Ensuite, les Wizi, qui regroupent Zach, William, sa tresse, et leurs deux coéquipiers...

– Des drôles de Wizi, si tu veux mon avis, fait Elliot.

... se battront contre les Grégory-Charles.

Nous rions tous du choix de nom de l'équipe. C'est clair qu'ils ne se prennent pas au sérieux, ceux-là. Nous aussi, on aurait dû se trouver un nom rigolo. C'est pas une compétition de chant, les gars !

– Ce qui veut dire, annonce Guillaume tout en collant le nom de chacune des équipes dans sa grille, que la Guilde des *noobs* devra lutter contre les... Argh... Vraiment ?

Guillaume lâche un soupir de découragement.

– ... contre les LEGOpokeGrumpyGangnam666. Ça ne vous tentait pas de choisir un nom un peu plus court, les gars ? Peu importe...

Un des membres des LEGOpoke-chose-et-tiguidou se plaint :

– Eille ! Tu l'as pas dit au complet.

– Ouais, non. Sais-tu, la fin je l'ai coupée. On va se contenter de ça. Bon ! Trêve de vulgarités, passons à la première partie !

Les joueurs de Cobra Kaï et d'Attari_Attaboy prennent place devant les stations de jeux pour le face à face. En se connectant aux serveurs de KPS, ils sont en mesure de récupérer leur avatar pour le tournoi. Ceux-ci apparaissent successivement sur les écrans que Guillaume a installés, nous permettant de les voir en détail. Quelqu'un dans les Attari_Attaboy a investi beaucoup de temps et d'énergie à recréer le visage des joueurs. On dirait de véritables photos, à une différence près : le tour de taille. Les gorilles, eux, ont choisi de ne pas faire dans la dentelle. Leurs mercenaires ont les membres surdimensionnés, des cuisses grosses comme des troncs d'arbre et les biceps gonflés à bloc, prêts à éclater. D'après moi, ils compensent quelque chose.

Les deux équipes s'affronteront dans un trois de cinq et auront dix minutes par partie pour capturer et défendre des coordonnées, et descendre leurs adversaires autant de fois que possible dans un niveau généré aléatoirement. Ainsi, personne ne pourra dire que l'équipe adverse bénéficiait d'un avantage injuste. De plus, pour cette joute, les joueurs auront droit à tout le matériel disponible dans l'inventaire de leur avatar.

Sweet ! Je n'aurai pas à perdre mon temps à rechercher un fusil de *sniper*, ou pire, des munitions.

La première joute se règle en trente petites minutes. Un, deux, trois, bing, bang, boum, merci, bonsoir ! Les Cobra Kai ne sont pas de taille pour ces *senseis*. Mes coéquipiers semblent être d'accord avec moi, ces vieux gamers sont une réelle menace. Ceux-ci sont expérimentés, rapides et efficaces. Dès la première seconde de jeu, c'est eux qui mènent le bal.

Pour ce que j'en sais, ils jouent depuis bien avant que je sois venue au monde !

Tout au long des parties, Elliot prend des notes. Bonne idée. Plus on en connaît sur notre ennemi et plus on aura de chances de le battre.

Les quatre jeunes hommes n'en reviennent toujours pas. Ce n'était pas la partie de plaisir à laquelle ils s'attendaient. Les chiffres ne mentent pas. Dans l'univers virtuel, l'habit ne fait pas le moine. La seule manière de savoir ce que vaut notre adversaire, c'est de lui faire face sur un champ de bataille. Les Cobra Kai l'auront appris à la dure.

Je suis soulagée qu'on ne se soit pas retrouvés à leur place.

Pour célébrer sa victoire, le capitaine des Attari_ Attaboy nargue ses adversaires. Se tenant sur un pied, il lève les bras au ciel et donne un coup de pied au ciel, mais la tentative de savate déséquilibre la grue, qui retombe lourdement sur les fesses. Les membres de Cobra Kai sont les seuls à ne pas la trouver drôle.

Sam et son équipe s'occupent de régler le compte des Natural Born Gamers, trois parties contre deux. Nico commet plusieurs erreurs qui passent proche de leur être fatales. Une chance pour eux, Mylène est là. Le cinquième et ultime match, elle le remporte pratiquement toute seule avec une série de tirs à la tête dignes d'un film de Tarantino. Une séquence absolument improbable qui laisse tout le monde sans voix.

– Merci et à la prochaine ! dit-elle chaque fois qu'elle descend un adversaire.

Si nous n'étions pas en plein tournoi et que je ne le voyais pas de mes propres yeux, je suspecterais qu'elle fait usage d'un *aimbot*, un code utilisé par les tricheurs pour viser automatiquement les ennemis. Elle est sacrément douée.

– Chanceuse ! dit Elliot, qui ne le croit toujours pas.

– Ne la sous-estime pas. Elle a du talent, que je le corrige. Si c'était de la chance, ses statistiques ne seraient pas aussi impressionnantes. Ça, ça ne ment pas, que je lui réponds en lui indiquant le tableau des résultats.

Des seize joueurs qui ont combattu à date, c'est Mylène qui a frappé le plus souvent la cible. Et avec l'enfilade de tirs, elle confirme sa position de meilleure tireuse, loin devant son plus proche concurrent.

Sarah-Jade a passé les huit matchs les yeux rivés sur son téléphone portable. Non. Ce n'est pas vrai. Elle a aussi pris quelques *selfies*. Puis elle est retournée sur Facebook ou texter ou peu importe. Lorsque vient le tour de William, elle pousse un soupir et fait l'effort suprême de fermer son cell.

Son beau William tressé est capitaine. Plutôt surprenant pour un gars si laconique. Que va-t-il faire lorsque ce sera le temps de donner ses ordres ? Des signaux de fumées ? Des messages codés en pets de dessous de bras ? Peut-être qu'il est télépathe aussi ? L'équipe est formée de Zach, du petit frère de celui-ci, qui envoie déjà des doigts d'honneur à ses adversaires, et de Ludovic, un gars de notre niveau dont le visage me dit vaguement quelque chose, mais à qui je n'ai pas eu l'occasion d'adresser la parole.

Je ne note rien d'exceptionnel au cours des parties. William est plutôt discret quand il donne ses ordres. Il agit plus en guide qu'en général. Et, contrairement à Elliot, il laisse beaucoup de liberté à ses joueurs.

Pierre-Emmanuel, le petit frère de Zach, est quelque chose, par contre. C'est le genre d'ado typique de onze ans que je croise en ligne, avec tous les inconvénients que ça implique. Zach est d'un naturel constant, vulgaire égal, peu importe l'heure de la journée. Pour son frère, s'asseoir derrière l'écran d'un ordinateur semble être un catalyseur. Tous les filtres de son cerveau sont désactivés la minute où il prend place.

Il jure quand il descend un adversaire et ne manque pas de l'insulter; il rage quand il reçoit un ordre de William et doit protéger une position; le taux de sacres à la minute triple du moment qu'il se fait abattre.

– *Motherf*#&* ! Ost# de jeu de m@ ?&# ! *Dude* ! Cr*§\$# de souris de cul… *Bitch* ! Prends ça, ost# de *loser* ! *Fµ©#&*g*… Tiens, salope ! Tab@#*@#& d'ordi poche de cr*§\$#… *Sh*t* ! *Godd@mn* ! *F*#&* ! *F*#&* ! *F*#&* !

Guillaume lui sert un premier avertissement, mais lors du quatrième match, ça devient si grave qu'il lui impose un point de pénalité mineur pour comportement antisportif.

Les Wizi tirent leur épingle du jeu, mais non sans difficulté. Malgré qu'ils aient réussi à tuer les petits chanteurs plus souvent et à enregistrer plus de points qu'eux au tableau, leurs adversaires ont réussi à gagner deux parties.

Le résultat surprend les Grégory-Charles plus que tous les autres. Ils ne s'attendaient clairement pas à survivre aussi longtemps. En bons perdants, ils se félicitent entre eux à coups de *high five*, félicitent l'équipe gagnante en serrant la main de leurs adversaires, félicitent le public pour ses applaudissements en les lui rendant, sans oublier Guillaume, pour son événement.

Quand vient enfin le temps de notre affrontement, rien ne se passe comme nous l'avions prévu. Trop nerveux, Elliot est dans sa bulle. Nous attendons après lui pour qu'il lance un plan de match, qui arrive toujours trop tard. Notre équipe est désorganisée et nous perdons les deux premières parties contre nos très jeunes adversaires. Nous remportons enfin un point lors de la troisième manche – victoire à l'arraché, avouons-le – lorsque Charlotte arrive à sécuriser les coordonnées et à repousser la dernière vague ennemie.

Elliot se lève de son siège, demande un temps mort à Guillaume, qui se demande ce qui se passe.

– Rassemblement tactique, ordonne-t-il.

Nous formons un cercle, prêtes à entendre la nouvelle ligne d'attaque qu'il veut nous proposer.

– OK, les filles. On tire de l'arrière...

– T'as remarqué ? lance Charlotte, sarcastique.

Elliot n'en fait pas de cas.

– Charlotte, beau *move* tantôt. C'est grâce à toi si on est encore en vie.

Elliot qui nous félicite ? On est en bien pire position que je ne le croyais.

– Changement de plan, nous dit-il. Ce n'est pas vrai qu'on va se laisser battre ici, chez nous, sur notre territoire. Alors on met le grand livre des stratégies de côté, on *scrappe* tout ce qu'on a vu dans les pratiques, pis on fait que ce qu'on fait le mieux : on joue comme des *badass* !

Elliot est toujours aussi nul pour prononcer des discours, mais son message passe.

Les deux derniers matchs n'ont rien à voir avec les trente premières minutes de jeu. Le changement est si radical, l'humiliation est si totale qu'un des parents des jeunes nous réprimande d'un regard. « Franchement ! Vous auriez pu leur laisser une chance », disent ses yeux.

C'est une nouvelle équipe qui se présente aux ordinateurs. La vraie équipe, celle que nous avons toujours été avant de nous perdre dans les stratégies sans queue ni tête d'Elliot, qui sont peut-être bonnes contre des NPC, mais qui ne tiennent pas deux secondes devant de vrais gamers, cette équipe refait enfin surface.

Chapitre 2-23

Lorsque Guillaume annonce les résultats du tirage pour la deuxième ronde du tournoi, je ne sais pas si je dois être soulagée de ne pas avoir à combattre mon meilleur ami (tout de suite) – son équipe, les OnEstVenusDuNordPourGagner, devra affronter les Wizi – ou nerveuse, car nous devrons nous mesurer aux redoutables Attari_Attaboy.

– Fais ce que tu fais le mieux, Laurie, et on va se retrouver en finale, me dit Sam en prenant place devant son poste de combat.

Comme ce matin, Guillaume s'avance, micro à la main et nous livre les instructions. Pour cette joute, nous n'aurons qu'une seule vie. La première équipe à éliminer son adversaire passera en finale. De plus, nous n'aurons pas accès à notre matériel régulier. Nous devrons compter sur les armes que nous pourrons trouver dans la carte.

Lorsque chacun des joueurs est connecté, son avatar prêt à combattre, Guillaume lance la partie.

L'image à l'écran change. Cette fois, la mêlée a lieu dans un désert rocailleux. Les roches ont une teinte terracotta, le sable passe du doré à l'orangé, et les montagnes sont rougeâtres. Tout ce rouge contraste énormément avec le ciel bleu. On dirait que les programmeurs ont oublié de changer de palette de couleur. Il n'y a pas d'entre-deux. Que du rouge et de l'orange. Pas de vert. De la verdure ! Voilà ce qui manque ! Si je ne savais pas que ce paysage existe quelque part sur la Terre (la vraie), je jurerais que les avatars ont été téléportés sur Tatooine.

Il y a des collines, de petites falaises, des tranchées et des tunnels un peu partout sur la carte. L'endroit est idéal pour *sniper* un ennemi un peu distrait ou pour tendre une embuscade. C'est d'ailleurs à cela que s'affairent Sam et son équipe. Ils commencent par faire une ronde de leur camp de base pour trouver de l'équipement, puis installent des pièges à l'entrée de chacun des tunnels.

Si les Wizi ne sont pas prudents, ça fera boum et on leur dira bye bye !

Afin de s'assurer que les adversaires devant lui ne connaissent rien de leur plan, les ordres que Sam donne sont presque murmurés dans son micro. Mais avec leur propre casque d'écoute, ce serait étonnant qu'ils entendent quoi que ce soit.

Sam sépare son équipe en deux. Nico et Émile, Sully et Dragonflable, passent à l'attaque, tandis que Mylène, alias Thrúd, a trouvé une position en hauteur lui permettant de les couvrir de loin. Sam2dePique reste en défense. L'œil dans sa lunette d'approche, si un ennemi leur échappe, Mylène ne le verra pas venir et elle se fera prendre par surprise. Le rôle de Sam est donc de la protéger, de retenir les assaillants assez longtemps pour permettre à Sully et à Dragonflable de revenir les aider.

Sam pense comme un *coach* de hockey. Ce qui n'est pas si mal. Mais il dilue ses forces. J'aurais installé un *sniper* à l'arrière pour protéger la base et envoyé trois attaquants à l'avant. À trois contre quatre, la remontée est loin d'être impossible. En deux contre quatre, c'est pousser sa chance, je trouve.

La tête baissée, les avatars d'Émile et de Nico avancent dans les tranchées. Ils sécurisent chacun des coins, chacun des trous, ce qui les ralentit passablement. Avec une seule vie en main, je les comprends de ne pas prendre de risque inutile.

– Tu vois quelque chose ? demande Sam à Mylène.

– Négatif. Aucun mouvement ennemi, répond-elle.

– Nico ?

– On s'apprête à pénétrer dans leur territoire.

– Attendez mon signal. Mylène ?

– Je les vois.

– Allez-y ! ordonne Sam.

Sully sort le premier de la tranchée. Dragonflable suit, quelques pas derrière lui. Ils avancent à découvert, s'apprêtent à contourner un énorme rocher, quand derrière celui-ci apparaît Prrmmnl, l'avatar du petit frère de Zach.

Les deux ennemis poussent un cri de surprise, mais c'est Pierre-Emmanuel qui est plus rapide sur la gâchette. Nico arrive à le toucher, mais trop peu trop tard. Son avatar tombe sous la rafale de balle.

– Merde ! Je suis mort.

Craignant de devoir affronter seul les quatre Wizi, Dragonflable bat aussitôt en retraite, décision appuyée par Sam, qui envoie Sam2dePique le rejoindre.

Une partie de la foule, dont Sarah-Jade, applaudit l'élimination. Je suis surprise qu'elle soit encore là, elle.

Ce qui ne me surprend pas, vu les commentaires qu'il a passé tantôt, c'est de voir Prrmmnl s'écraser l'entrejambe à répétition dans le visage de Sully.

Voyant Pierre-Emmanuel outrager un cadavre, soit-il virtuel, Mylène ajuste sa mire et tire. Mais la balle dévie légèrement de sa trajectoire et frappe le coin du rocher. L'impact surprend Prrmmnl, qui retourne se cacher.

Guillaume lui assène un deuxième point de pénalité mineur pour son geste déplacé.

– Ah sérieux ? C'est juste une blague, *man.*

En ligne, le *teabagging* manque déjà de classe. Je ne peux pas croire qu'il pensait qu'on allait accepter ça en tournoi. Caché derrière son écran d'ordi, Pierre-Emmanuel se tortille sur son siège. Quelle peste ! Il peut bien être le frère de Zach.

Quand on joue à la *Ligue*, Sam n'est pas le plus patient. Il préfère toujours se lancer dans l'action que d'attendre qu'elle vienne à lui.

– Mylène, tiens-toi prête. Je vais les faire sortir de leurs trous.

L'ordre ne me surprend absolument pas. C'est une manœuvre que l'on pratique souvent. Normalement, c'est moi qui m'occupe de sa couverture.

Sam2dePique sort de sa cachette et s'expose, feint à gauche et à droite. Comme prévu, il attire les ennemis. Thrúd tire deux coups rapides, mais mord la poussière. Elle visait l'avatar de Ludovic, mais celui-ci l'a caché à temps. Néanmoins, les nuages de poussière soulevés par les impacts indiquent à Sam l'endroit où il se terre.

Sam2dePique court dans cette direction. Trop loin de son ennemi, il lance quand même une grenade vers la crevasse. Tout le monde sait que ça ne se rendra pas. Sam non plus n'y croit pas. Convaincu lui aussi que son avatar est à l'abri, Ludo ne se donne pas la peine de bouger. La grenade retombe au sol, n'explose pas tout de suite, et roule. Sur la surface rocheuse, elle roule sur une dizaine de mètres et va choir... exactement... là.... où se trouve le Wizi solitaire. Qui se fait éliminer.

Les avatars de Zach et de William sont toujours invisibles, probablement à la recherche de Thrúd. Elle devrait changer de position.

Encouragés par ce succès, Émile et Sam augmentent la pression. Dans l'écran de Sam, on peut voir un avatar pas très loin, dans une tranchée. Sam aussi l'a vu. Il se dirige vers lui avec confiance. Émile couvre les arrières de son intrépide capitaine et Mylène pourra éliminer l'ennemi d'un tir à la tête s'il se la montre.

Sur le téléviseur, on voit bien que la cible de Sam est en fait LOCUTUS2366. William n'était donc pas parti chasser Mylène. Alors que LOCUTUS2366 se lève pour défendre sa position et éliminer mon meilleur ami, Thrúd pointe sa mire sur lui et tire. Au même moment, l'écran de Mylène vire au noir. Sam2dePique tombe au sol.

– Hey ! ! ! fait Sam.

– C'est quoi, ça ? crie Mylène, furieuse.

Pierre-Emmanuel se redresse sur son siège.

Sur le moniteur principal, William s'approche du corps de Sam2dePique et l'achève.

– Yippie kai yay, pauvre nul.

Zach en profite pour sortir VakusVakus de sa cachette et éliminer Dragonflable d'une salve de sa mitraillette. Distrait par ce qui vient de se produire, Émile ne l'a pas vu venir.

– Wô ! Objection ! lance Sam en voyant l'écran de Mylène. C'est pas juste ! proteste-t-il. On a un bris technique.

Guillaume met aussitôt la partie en pause.

– Donnez-moi une seconde, on va aller voir ça.

L'écran de Mylène ne répond plus. En vérifiant les câbles, Guillaume découvre que le fil HDMI le reliant à l'ordinateur n'est plus dans sa fente. Aussitôt, ses suspicions se tournent vers le joueur se trouvant en face de ce poste de jeu : Pierre-Emmanuel.

– OK ! C'est assez ! Conformément au règlement cinq point trois point six concernant la tricherie, récite-t-il par cœur, Pierre-Emmanuel Gallant reçoit douze points de pénalité. Avec les deux points pour conduite antisportive, il est disqualifié et expulsé du tournoi.

– Eille ! J'ai rien à voir là-dedans, moi ! s'insurge celui-ci. Tes fils étaient pas plogués comme du monde.

– Justement ! C'est moi qui ai tout plogué. Et je peux t'assurer que tout était plogué comme du monde. Un câble HDMI, ça ne se débranche pas tout seul, tu sauras. C'est évident que tu l'as arraché. Là, si tu ne veux pas que je te bannisse de mon magasin, je te suggère fortement de te la fermer. La décision est sans appel. OK, dit-il en cherchant à se calmer. On va prendre cinq minutes de pause, tout le monde.

Sam se lève et vient vers nous, aussitôt rejoint par Nico, Mylène et Émile.

– J'ai jamais vu ça ! commence Nico, incrédule. Avez-vous déjà vu ça, vous, du sabotage en plein tournoi ?

– Ça prend vraiment du culot tout le tour de la tête, dit Charlotte.

– C'est bien le frère à son frère, fait Elliot.

– Qu'est-ce que tu penses qu'il va arriver ? que je demande à Sam.

– Penses-tu qu'on va reprendre la partie ? me répond-il.

– Il ira pas jusque-là, intervient Mylène. On n'a pas à recommencer la partie au complet, juste la fin. Mettons qu'il nous recule d'une ou deux minutes avant que mon écran flanche…

Dans La Grotte, la foule se pose les mêmes questions que nous. Je cherche le frère de Zach du regard, mais il a déjà quitté la boutique. Aussi bien.

Un détail de la partie me revient en tête, mais avec les coups de feu et la commotion provoquée par le sabotage, je ne suis pas certaine d'avoir bien saisi.

– Sam, as-tu compris ce que William a dit après t'avoir tiré ?

– Non, pourquoi ?

Mylène était trop loin et Nico avait enlevé son casque d'écoute. C'est Émile qui détient la réponse à ma question :

– Yippie kai yay, dit-il. C'est pas la réplique de John McClane ?

– Oui. Ça te rappelle pas quelqu'un ? que je demande à Sam.

– Ah ben, tabarnouche ! s'exclame-t-il, réalisant de qui je parle. William, c'est DECKARD2019 ! Quelqu'un devrait lui dire que sa touche de majuscule est coincée.

S'il n'avait pas changé son alias, nous l'aurions reconnu tout de suite.

Voyant que nos amis ne comprennent pas, nous leur relatons notre rencontre mémorable avec l'avatar de William, qui à l'époque s'appelait DECKARD2019. William avait utilisé un *patch* assurant l'invulnérabilité à son avatar. Le terrible châtiment que nous lui avons fait subir les fait sourire.

– À ce que je vois, les plans de vengeance de Laurianne, ça ne date pas d'hier, constate Elliot. Rappelle-moi de ne jamais te tomber sur les nerfs, OK ?

Pour toute réponse, je lui fais un clin d'œil.

Guillaume ressort enfin de son arrière-boutique et rend sa décision :

– Suite au sabotage orchestré par Pierre-Emmanuel Gallant, celui-ci a été banni du tournoi en raison de la gravité de ses actes. De plus, l'équipe Wizi reçoit elle aussi six points de pénalité mineurs, mais n'est pas disqualifiée.

Plusieurs personnes protestent, dont les quatre membres d'OnEstVenusDuNordPourGagner. De l'autre côté de la salle, c'est plutôt un soupir de soulagement qui parcourt l'équipe de William. Pour la première fois de la journée, Sarah-Jade semble s'intéresser à ce qui se passe. Elle va sûrement se plaindre sur Facebook que son chum est victime d'une grave injustice.

– S'il vous plaît ! interrompt Guillaume. Le joueur expulsé ne pourra être remplacé au cours de cette ronde. Conformément aux règlements, la partie n'est pas annulée. Le jeu reprendra au moment où l'écran de Mylène a été déconnecté, puisqu'aucun préjudice n'a été subi avant la tricherie.

Guillaume prend une pause, semble réfléchir aux mots les plus justes à utiliser, et il poursuit :

– Je suis conscient qu'un joueur a été atteint à peu près au moment où l'écran a été déconnecté. Dans l'intérêt de la partie, du tournoi et pour que la décision soit juste envers chacune des équipes, j'ai consulté l'enregistrement de la partie. La balle que Mylène a tirée l'a été zéro virgule trois secondes avant que son moniteur ne soit déconnecté. Rien ne m'indique que ce que Pierre-Emmanuel a fait a pu nuire d'une manière ou d'une autre aux actions de Mylène à cet instant. Sam2dePique et Dragonflable seront réanimés pour la reprise de la partie. Pour que ce soit bien clair pour les deux équipes : quand la partie reprendra son cours, la balle tirée par Thrúd sera en mouvement.

Ce n'est pas la conclusion à laquelle on s'attendait. Les membres d'OnEstVenusDuNordPourGagner sont découragés. Sam tente de leur remonter le moral, même s'il sait le destin qui l'attend.

– Ce n'est pas fini. Je peux toujours faire mon Neo. Émile, fais attention à Zach. Il va être dans tes huit heures. Mylène, si jamais je ne m'en sors pas, deux choses : un, c'est toi qui suis dans la chaîne de commandement; deux, c'est pas de ta faute.

Les joueurs reprennent place devant leur station de jeu. Sam écrase déjà les touches pour que son avatar se couche. Guillaume amorce le décompte.

Pendant un instant, j'ai espoir que Sam s'en sorte. Sam2dePique amorce son mouvement, bouge un peu, mais il est trop lent face à la vitesse supersonique de la balle. Encore une fois, il est frappé de plein fouet et s'écrase au sol.

Victime d'un tir amical. Ça, c'est nul.

Pour éviter de se faire descendre par Mylène, William a changé sa stratégie. Il est reparti à couvert. Quant à Dragonflable, il est trop exposé et se fait de nouveau abattre par VakusVakus.

Thrúd abandonne sa position et son fusil de *sniper*. En deux contre un, il va lui falloir ruser. Avec l'arrêt de jeu, William et Zach savent où l'avatar de Mylène se trouve. Mais celle-ci ne semble pas pressée de se trouver une nouvelle cachette.

Lorsqu'elle voit ses deux adversaires s'approcher, Thrúd tire une rafale dans leur direction, sans prendre la peine de viser, simplement pour qu'ils la remarquent. Mylène est en train de leur tendre un piège. Elle dirige son avatar vers les tunnels.

C'est brillant ! Mylène espère que ses deux adversaires ont été assez distraits par l'interruption de match. Ce n'est pas le genre d'erreur qu'ils feraient, autrement. Elle mise sur l'odeur du sang. Zach et William veulent en finir au plus vite avec elle.

– Allez, Mylène ! que je crie.

Zach réduit l'écart entre les deux avatars. VakusVakus tire un coup, atteint Thrúd, mais la blessure est mineure.

La foule retient son souffle.

Thrúd continue de lui échapper. Elle émerge enfin du tunnel.

Zach marche droit dans la toile tendue par Mylène. Il ne peut éviter le piège tendu au début de la partie. L'explosion a raison de VakusVakus. Dans un geste de frustration, Zach arrache son casque d'écoute.

La foule applaudit.

Une seconde plus tard, un tir résonne dans le désert. Thrúd s'effondre, blessée, incapable de tenir sur ses jambes.

– Non ! crie Mylène.

Dans le désert, son avatar se retourne, cherche d'où provient le coup fatal.

LOCUTUS2366 sort de sa cachette. Sur le téléviseur géant, nous le voyons tous se relever. Il est en haut de la colline, à l'endroit même où était postée Thrúd.

L'avatar de William épaule le fusil que Thrúd avait abandonné et livre le coup final.

Chapitre 2-24

Que Sam et son équipe soient éliminés, c'est nul.

Que William et Zach passent en finale, c'est vraiment poche !

Il nous faut battre les Attari_Attaboy, pas tant pour remporter le tournoi que pour empêcher la clique de Sarah-Jade de remporter celui-ci. Je ne peux pas imaginer le tourment auquel elle va nous soumettre à l'école si jamais ce sont William et Zach qui l'emportent. Ce sera l'humiliation totale. Elle ne nous laissera pas l'oublier jusqu'à la fin du secondaire.

Tout aurait été si simple si Elliot avait choisi de respecter le plan sur lequel nous nous étions finalement entendus : nous laisser faire ce qu'on fait de mieux, comme l'a si bien dit Sam.

Mais non !

Nous aurions dû tenter un putsch lorsque le tyran a refait surface.

Les deux dernières parties que nous avons jouées contre LEGOpokeGrumpyGangnam666 (quel nom horriblement long ! je me demande ce qu'il pouvait lui manquer...) et que nous avons remportées haut la main ont redonné confiance à toute l'équipe. Toute cette assurance est montée à la tête d'Elliot.

– Je connais cet endroit ! C'est une carte qui a été retirée des serveurs. Écoutez. Pas loin d'ici, il y a un hangar désaffecté. Dans le mur tout au fond, il y a une brèche, un trou juste assez grand pour nous laisser passer. Ça donne sur la grande place. Personne ne l'utilise jamais parce qu'il est caché derrière un camion. On va sauver du temps et on va pouvoir les prendre par surprise, nous a-t-il dit.

– Attends. T'as vu comment ils ont disposé des gorilles ? est intervenue Charlotte.

– Oui. Et ?

– Je pense qu'on devrait développer un plan B. Ils sont loin d'être des deux de pique en face. Ta brèche, ils doivent y avoir pensé.

– Charlotte a raison, a dit Margot.

– S'ils la connaissent, on est cuits, que j'ai ajouté.

– Bon. Arrêtez de discuter. Je joue du galon. C'est un ordre. Je suis certain que c'est notre meilleure option.

On s'est regardées, se demandant du regard quoi faire. On a fait ce qui s'imposait : Margot, déçue, a secoué la tête; Charlotte, découragée, a roulé les yeux, et moi, lassée, j'ai haussé les épaules.

– Pour tes archives, que j'ai dit à Elliot, note donc qu'aucune de nous n'est confortable avec ta décision.

– Dûment noté, m'a-t-il répondu sèchement. OK. On y va.

– T'es sérieux, là ? a dit Charlotte.

– Oui. Vous aviez juste à ne pas m'élire comme capitaine.

– À ce que je sache, on n'est jamais passées au vote, que j'ai dit.

Bref, nous n'étions ni d'accord ni contentes de son retour en arrière. Mais nous l'avons suivi quand même, et ce qui devait survenir est survenu. Nous avons marché dans leur piège.

Et là, nous sommes coincés dans un cratère, menacés par deux *snipers*, tandis que les deux autres joueurs courent vers nous pour en finir. Nous n'avons plus assez de points de vie pour tenter de fuir, et notre cher capitaine est aussi gelé dans son processus de décision que Han Solo ne l'était dans son bloc de carbonite.

– C'est quoi, les ordres ? lance Margot en secouant l'épaule d'Elliot.

– Qu'est-ce qu'on fait ? Qu'est-ce qu'on fait ? Qu'est-ce qu'on fait ? ne cesse de répéter Charlotte.

J'ouvre la fenêtre d'inventaire de Stargrrrl à la recherche d'une idée, d'une arme qui pourrait nous sauver. Il n'y a rien d'utile, rien que je puisse utiliser et qui changerait la donne. Dommage que je n'aie pas de lance-roquette dans mon arsenal ! Il reste bien quelques grenades que nous avons ramassées au tout début de la partie, mais même si je parvenais à me débarrasser de ces deux mercenaires, les deux *snipers* seraient toujours là, prêts à nous abattre.

En examinant chacune de mes possessions, je remarque la petite sphère. Normalement, nous ne sommes pas supposés avoir accès à notre matériel. Nos avatars sont dépouillés de leur équipement au début de la partie. Malgré cela, cette petite sphère recouverte de symboles se trouve dans l'inventaire personnel de Stargrrrl. Je me souviens que je n'ai pas pu la laisser à la base non plus. Elle réapparaît automatiquement dans mon équipement.

Les circonstances de sa découverte me reviennent en tête. Non pas l'impact dans le ciel de *Terra I* qui a failli tuer nos avatars, à Sam et à moi, mais l'épisode dans le hangar. Je l'avais presque oublié.

C'était un rêve, non ? Il me semblait que c'était un rêve. Mes souvenirs sont flous, car ce jour-là, j'étais fiévreuse. Alors que j'examinais *Thorondor*, un avatar a pénétré dans le hangar. Il parlait de fantômes. Je pensais que je dormais...

Stargrrrl tourne et retourne la boule métallique dans ses mains. La surface de la sphère est divisée en vingt-quatre parties. Elle n'en comptait pourtant que douze la dernière fois. Chaque partie est recouverte de petits symboles formés de lignes courbes, chacun comptant un nombre de boucles différent des autres.

Bien sûr !

La clé du code me saute au visage. Une courbe égale un, deux courbes, deux, et ainsi de suite. Et ce trait, c'est le zéro.

Avec elle, je peux déchiffrer les symboles.

J'entre les neufs nombres premiers composant la séquence numérique, soit 2, 3, 5, 7, 11, 13, 17... Où se trouve le suivant ? Ah, le voilà ! 19 et 23. L'un après l'autre, chacun des symboles s'illuminent. Dès que j'appuie sur le dernier, la sphère produit un vrombissement qui s'atténue aussitôt. À mon écran, les couleurs se sont fluidifiées, elles glissent d'un pixel à l'autre, fluctuent sans relâche.

Croise les doigts, Laurie, parce que si tu as rêvé tout ça et que tu te trompes, c'est vraiment la fin.

– OK, gang. À mon signal, vous courez et vous allez vous mettre à couvert.

– Laurie ? demande Charlotte.

Stargrrrl s'extirpe du cratère et court vers les deux mercenaires. Ils ne réagissent pas, n'ouvrent pas le feu sur moi, pas plus que leurs coéquipiers juchés dans l'immeuble (je croyais qu'il n'y avait qu'un seul franc-tireur, mais ils sont deux). Ils me croisent. Un peu plus loin, l'un d'eux tombe à genoux.

– Attends une seconde, je me suis fait blesser à la jambe, dit-il.

– *Man*, t'as un poignard en arrière de la cuisse !

– Est-ce qu'on en a raté un ?

– Négatif, répond une voix dans son oreillette. Personne n'est sorti du cratère.

– Sylvain, c'est quoi ça, dans ton dos ?

Stargrrrl s'est éloignée de ses proies. Avant de lancer son poignard sur le premier, elle a placé une bombe magnétique sur l'armure du second. Détonateur en main, elle pèse sur le bouton et fait d'une bombe deux joueurs. Le paquet explose alors qu'elle se retourne pour procéder à un tir de couverture en direction de l'immeuble, où se sont cachés les deux autres avatars. Le ciment éclate sous la déferlante de balles.

– Maintenant ! Go ! Go ! Go ! que je crie assez fort pour que mes coéquipiers m'entendent par-dessus leur casque d'écoute.

Je ne suis plus qu'à une demi-douzaine de mètres de l'immeuble. Si près que les deux joueurs postés sur le toit ne peuvent pas m'apercevoir, pas de leur position. Avec mon tir de barrage, j'ose croire qu'ils ne se risqueront pas à répliquer.

J'avais tort.

Ils balancent des grenades à l'aveugle. Stargrrrl a à peine le temps de plonger à travers la porte qu'elles explosent, la projetant sur le mur. Des fragments de ciment frappent Stargrrrl et la blessent. Elle perd un peu de points de vie. Rien de dramatique, heureusement. Stargrrrl se relève et grimpe l'escalier.

Je choisis dans son inventaire un MP5K, un pistolet mitrailleur semi-automatique qui sera redoutable à courte portée.

Rendu au palier du deuxième étage, j'aperçois les deux avatars ennemis qui tentent de fuir. Je clique une fraction de seconde plus rapidement sur le bouton de ma souris. Le premier avatar danse sur place sous l'impact des balles, mais l'autre mercenaire réussit à utiliser son camarade comme bouclier et à se réfugier à l'étage.

Le serveur nous confirme que le premier avatar est bien mort.

– Laurie, fais pas la conne, me dit Charlotte. Attends-nous, on s'en vient t'aider.

Ils n'ont pas à s'en faire. J'ai eu ma leçon. Je vais seulement m'assurer qu'il ne se sauve pas.

– Bien reçu, que je confirme.

Toujours sur le palier, je jette un coup d'œil rapide à l'intérieur.

– Il vient de sortir par la fenêtre.

Stargrrrl court jusqu'à l'ouverture. J'opte pour mon fusil de *sniper*. Peut-être que je pourrai le descendre avant qu'il...

– Je viens de le perdre. Il retourne vers son camp de base. Charlotte, tu ouvres la marche; Margot, tu la couvres; Elliot, tu couvres leurs arrières. Et pas de course insensée. Tu restes avec elles. Compris ? Faites attention.

Tout le monde accepte l'ordre que je viens de donner.

– Gang, dit Margot, continuez sans moi. Je crois que j'ai trouvé un bonus.

Stargrrrl court à l'extérieur de l'immeuble. Elle suit le chemin emprunté par le mercenaire. Ses camarades se trouvent à quelques centaines de mètres. Ils ont déjà pénétré dans les méandres de la ville. Nous allons le prendre en souricière.

– C'est quoi, ton bonus ? demande Elliot, qui semble revenir à lui-même.

– Regardez en l'air !

Un petit drone s'élève au-dessus des immeubles. C'est Margot qui le contrôle. Pendant ce temps, son avatar est vulnérable à l'ennemi. Voilà pourquoi elle a choisi de rester derrière. Le drone est vif et stable dans ses déplacements.

La voix de Margot est retransmise par le système radio du drone. Elle paraît plus distante avec la statique, mais elle a une plus grande portée.

– Je passe à l'infrarouge. *Cool !* Faites-moi des coucous, rigole-t-elle. Donnez-moi un instant. Laurie, où est-ce que tu te trouves ?

Je lui indique la position de Stargrrrl, ce qui lui permet de déterminer la silhouette de notre ennemi. Comme ça, elle n'enverra pas ShanYiLi et Mhoryn à ma rencontre.

– OK, je l'ai ! annonce-t-elle. Charlotte, prends la deuxième à gauche puis la première à droite et tout de suite à gauche. Il attend dans les décombres. Laurie, continue tout dr...

La communication est coupée. J'entends une détonation. Un petit flash lumineux dans le ciel m'informe qu'on a tiré sur le drone et qu'il a été touché. L'engin chute au sol, laissant une traînée de fumée derrière lui.

– Je suis rendue, nous informe Charlotte. Je vais jeter un coup d'œil.

Un claquement sourd résonne dans le labyrinthe urbain. Un instant plus tard, le serveur nous délivre un massage fatidique : *ShanYiLi a été tuée par DrSly.*

– Charlotte vient de se faire descendre, me confirme Elliot.

– Bouge pas. Reste à couvert. J'arrive.

Tout comme Mhoryn, Stargrrrl est protégée par le coin d'un immeuble. Margot n'a pas eu assez de temps pour nous renseigner sur sa position, je dois en découvrir un peu plus. Je me risque et m'expose. Il est là, visant la position où se trouve Elliot. Le mercenaire a aperçu mon avatar. Ce gars est vraiment doué, en une fraction de seconde, DrSly se retourne et décoche un tir dans ma direction. Un tir presque parfait qui frappe le mur et fait exploser la brique.

– J'ai une idée, que je dis à Elliot. On fait exactement comme dans le cratère tantôt. Je vais m'exposer, toi, tu le descends.

– Non, Laurie. Ça ne marchera pas.

Elliot, c'est pas le moment de faire un *power trip*, que je pense tout bas. Il poursuit :

– T'es une bien meilleure tireuse. Tu le sais. Au compte de trois, c'est moi qui vais attirer son attention. OK. T'es prête ? Un… deux… trois !

Je prie pour qu'Elliot continue de défier les statistiques. Totalement exposé, il court, évitant les balles tirées par DrSly. La diversion me donne amplement le temps de viser à l'aide de ma lunette télescopique. Un seul coup est nécessaire.

BANG !

– L'as-tu eu ? me demande Elliot.

– Dans le mille.

Après dix secondes, il est clair que l'avatar a survécu, car la confirmation du serveur n'est toujours pas apparue. Mhoryn et Stargrrrl avancent vers l'endroit où le mercenaire est tombé, prêts à tirer à la moindre menace.

L'ennemi est là, étendu sur le sol. Pas mort, mais sérieusement blessé. Les pixels s'échappent de l'avatar. Il n'en a plus pour bien longtemps.

– Belle partie, les jeunes, nous dit DrSly, alias Christian.

Elliot me fait signe de lui répondre.

– Merci. Vous avez failli nous avoir tantôt. Comment vous avez su qu'on allait passer par la brèche dans le hangar ?

Christian rit.

– On n'apprend pas à grimacer à un vieux singe ! Vous avez joué comme de vrais pros. J'espère que vous avez d'autres trucs dans vos manches, les jeunes, parce que la compétition est féroce. Je peux te demander comment tu as fait pour sortir du cratère ?

– Oui.

– Mais tu ne répondras pas à ma question, ajoute-t-il.

– Non.

– Tu fais bien. Règle numéro deux : ne dévoile jamais tes secrets à l'adversaire, petite.

– Et c'est quoi la règle numéro un ? que je demande.

– Fais confiance à tes amis.

Je ne crois pas aux signes du destin. Les nuages ne sont rien de plus que des nuages, les flaques d'eau n'ont pas de leçon à m'apprendre et aucun ange gardien ne veille sur moi. Il y a par contre des coïncidences difficiles à ignorer. Quand l'univers te martèle un message, y rester sourde devient stupide.

La règle de mon adversaire me touche plus que je ne le laisse paraître.

– Pas que c'est pas le fun, mais faudrait bien le gagner, ce tournoi, dit le dernier membre des Attari_Attaboy.

– Ben... Sans combat, je trouve ça un peu cruel. Vous pourriez déclarer forfait ? que je propose.

Mon idée le fait rire. Beaucoup. Un peu trop même. Pourtant, je ne me trouve pas si drôle que ça.

Soudain, je remarque que DrSly a un bidule électronique à son poignet, le même que Sam2dePique utilise pour piloter *Thorondor* à distance. Sur l'écran est affichée une carte. Un marqueur clignote en son centre. C'est là où nous nous trouvons tous.

Il nous a tendu un piège. DrSly a lui aussi trouvé un bonus. Une frappe aérienne se dirige sur cette position. Voilà pourquoi Sylvain parle autant. Il nous retient ici avec l'espoir de nous éliminer les trois d'un seul coup, ce qui forcerait la prolongation. Voilà pourquoi il rit toujours.

– Courez. Courez !

Si nous mourons, tout sera à recommencer.

Mhoryn, Togram et Stargrrrl se dirigent vers la grande place aussi vite qu'ils le peuvent. Il nous faut nous éloigner. Une dizaine de points lumineux dans le ciel m'indiquent qu'il ne nous reste que quelques secondes. Les missiles vont s'abattre sur les immeubles et raser cette partie de la ville.

Alors que nous arrivons sur la grande place, les bombes commencent à exploser. Les immeubles sont éventrés, éparpillés, réduits en miettes. La terre tremble, une onde de choc plaque nos avatars au sol.

Lorsque la poussière retombe, le serveur nous déclare enfin vainqueurs.

Chapitre 2-25

J'ai un début de mal de tête. Charlotte et Elliot semblent être aussi épuisés que moi. Margot, elle, est surexcitée. Elle ressent les effets de la boisson énergisante qu'elle a bue un peu plus tôt. Ses écouteurs sur les oreilles, elle écoute du métal, ce qui, selon elle, l'aide à se concentrer.

Nous avons eu droit à une heure de pause entre notre victoire contre les Attari_Attaboy et la grande finale, qui nous opposera aux Wizi. Guillaume nous a permis de nous installer dans la salle de jeux. Il a probablement fait la même offre à William et à son équipe, mais ils ne sont pas avec nous. Je ne sais pas où ils se trouvent. Peut-être sont-ils dehors sur le trottoir à essayer de convaincre un passant de devenir leur quatrième joueur ?

Assise sur le plancher, adossée au mur, les yeux fermés, silencieuse, j'essaie de me reposer les pupilles autant que possible avant la prochaine partie. Mon esprit s'égare et je cogne des clous. Si je le pouvais, je dormirais jusqu'à demain midi ! Malgré que je sois habituée à jouer de longues heures, ces joutes ont été particulièrement épuisantes, tant physiquement que mentalement.

Une dizaine de minutes avant le début de la finale, mon père entre sans la salle et referme la porte derrière lui. Il glisse le long du mur et s'assoit à mes côtés.

– Ça va ?

– Hum hum… que je réponds en accotant ma tête sur son épaule.

– Vous avez été extraordinaires ! Ton tour de passe-passe a pris tout le monde par surprise. Je ne pourrais pas être plus fier de toi. Tu es bien la digne descendante de ton père, dit-il, sourire en coin.

– Hé ! On parle de moi, là !

– Désolé. Tu sais, depuis le premier jour où tu as pris une manette dans tes mains, c'était clair dans ma tête que tu étais la meilleure de nous deux. Ça a toujours eu l'air si facile, pour toi. Tu es aussi à l'aise qu'un poisson dans l'eau. Si je ne t'avais pas vue naître de mes propres yeux, je te suspecterais d'être un cyborg.

– Je vais le prendre comme un compliment, que je dis en riant.

– Tu devrais ! Je n'arrive toujours pas à comprendre pourquoi tu ne me bats pas à *Mario Kart*, par contre. Enfin, peu importe. Amuse-toi. Fais confiance à ton instinct… Utilise la Force, Laurianne ! dit-il avant de rejoindre les spectateurs.

Dans quelques minutes, ce sera notre tour.

J'ai hâte de m'asseoir à mon poste. Je sais que l'adrénaline coulera à flots dans mes veines à la seconde où je poserai mes doigts sur le clavier et où je saisirai ma souris.

Juste comme Charlotte s'apprête à mettre la main sur la poignée de la porte, Elliot l'arrête :

– Attends une minute, Charlotte ! Les filles… Je voulais vous dire… J'ai pris une décision.

– Encore ? fait Charlotte, prête à exploser.

– Attends une seconde avant de t'emporter. « Dans les temps anciens, ceux que l'on disait experts dans l'art de la guerre l'emportaient sur un ennemi facile à vaincre », dit-il solennellement.

– Encore Sun Tzu ? que je demande.

– Encore Sun Tzu, confirme-t-il en inclinant la tête.

– Qu'est-ce que ça veut dire ? demande Margot.

– Que les temps anciens sont révolus. Et que c'est Laurianne, notre nouvelle capitaine. Elle aurait dû l'être depuis le début. Je connais vos talents, et Laurie, c'est une tacticienne. Elle est bien meilleure que moi. Je dois reconnaître que j'étais complètement dépassé. J'ai fait des erreurs, je ne vous ai pas écoutées…

– T'as surtout été chiant, ajoute Charlotte.

– Aussi, c'est vrai, reconnaît-il. Et pour toutes ces raisons, c'est à Laurianne de prendre le commande-ment. Pour une fois, je sais que je ne me trompe pas.

Elliot me tend la main. Je souris. La prends dans la mienne. Soudain, Charlotte, émue, nous saute des-sus et nous serre dans ses bras. Margot vient vite se joindre à nous dans cette boule d'amour.

Guillaume choisit ce moment pour ouvrir la porte de la salle et nous annoncer que la finale va bientôt commencer.

La boutique est pleine à craquer. Il y a encore plus de spectateurs que ce matin. Je reconnais quelques visages ici et là, dont Sam, qui m'encourage de deux pouces en l'air.

Micro en main, Guillaume est plus nerveux que jamais. Il s'essuie les paumes sur son jean avant d'inviter les joueurs à s'asseoir à leur station.

Je me demande qui William a bien pu trouver pour remplacer Pierre-Emmanuel au pied levé, quand je vois Sarah-Jade prendre place à côté de lui. Elle n'a pas l'air particulièrement heureuse de se retrouver devant un ordi. Honnêtement, je n'aurais jamais deviné qu'elle était une gamer.

– Les finalistes de la grande finale du tout premier tournoi de *La Ligue des mercenaires* de La Grotte sont les Wizi et... La Guilde des *noobs*! Applaudissez-les! Dès que les joueurs seront connectés, la partie débutera. Bonne chance aux deux équipes!

Sur les moniteurs et les téléviseurs, nous avons droit à une scène de film qui s'ouvre dans un immense hangar. Celui-ci n'a rien à voir avec celui que Sam et moi avons découvert. C'est plus qu'un simple hangar, c'est une véritable base militaire! D'un côté, des dizaines de véhicules militaires en tout genre sont stationnés, de l'autre, ce sont des jets, dont trois du même modèle que *Thorondor*. Des NPC s'activent autour des engins, les ravitaillant pour le combat.

La caméra s'approche et découvre un groupe de personnages. Deux douzaines de soldats se tiennent au garde-à-vous. Près d'eux, huit mercenaires les observent, blasés, usés. C'est nous. Je suis rassurée de voir que ShanYiLi a été réanimée. Ceux des Wizi y sont aussi. Je clique sur un raccourci pour prendre un fusil mitrailleur, mais la commande ne répond pas. Ce n'est pas ici que nous allons nous battre.

Un sergent-chef se présente à nous :

– Garde… À VOUS ! crie-t-il.

Les quarante-huit bottes de soldats résonnent sur le sol, chacun des soldats se redressant un peu plus. Dans notre groupe, c'est tout le contraire. Personne ne réagit, personne ne salue. Nous ne sommes pas des soldats, nous sommes des mercenaires. Nuance.

– Foutus mercenaires, grommelle le sergent-chef. Si mes petits biquets veulent bien embarquer, votre carrosse est prêt à décoller.

Le ton du sergent-chef est cassant, ironique. Il n'est pas heureux de nous voir. De la main, il nous indique les trois ADAV dans lesquels les soldats sont déjà en train de monter par la porte-cargo. Après avoir fait un pas, il se tourne vers nous :

– Une précision. Ici, vous êtes sur *Terra I*, avec tous les risques et conséquences que cela entraîne. Si vous voulez vous désister, c'est maintenant que ça se passe. Personne ne vous en tiendra rigueur.

Terra I. La finale se tient dans le module principal de la *Ligue*. Ce qui veut dire que si notre avatar meurt, il sera effacé. Pffuit ! Plus de Stargrrrl. Je devrai recommencer à zéro ses aventures. À côté de moi, tout le monde hésite. Personne ne s'attendait à prendre un tel engagement aujourd'hui. Mais nous n'avons pas fait tout ce chemin pour reculer non plus.

Confiante, je fais un pas en avant, aussitôt imitée par mes camarades.

– Bienvenue à bord !

La porte hydraulique se referme derrière nous et les moteurs rugissent avant même que nos avatars n'aient pris place dans les sièges, les Wizi d'un côté, et mon équipe de l'autre.

La scène coupe et montre les trois ADAV qui s'engagent dans un long tunnel, accélèrent et décollent. Nous surgissons du tunnel à pleine vitesse et prenons rapidement de l'altitude. Sous les jets, je peux voir l'immense montagne qui camoufle et protège cette base.

Je savais bien qu'il restait encore des zones inexplorées dans ce jeu !

La caméra revient à l'intérieur du jet où un hologramme bleuté apparaît en direction du cockpit. Le NPC est vêtu d'un uniforme de général. Sur sa tête, un béret; exactement le même que celui tant apprécié par Sam. Si l'avatar de mon ami a l'air ridicule avec ce couvre-chef, je dois avouer que c'est tout le contraire pour ce général.

Ce qui me frappe, ce sont les traits du personnage. Ces yeux, ce visage, je les reconnaîtrais entre mille ! KPS a utilisé les traits de son fondateur pour ce NPC. Ce général ressemble comme deux gouttes d'eau à Patrick Lemieux.

Nos micros doivent être ouverts, car j'entends Zach passer quelques commentaires sur l'apparence de l'hologramme qui font rire William.

– Certains d'entre vous me connaissent peut-être, commence l'hologramme. Je suis le général Kilpatrick.

Sa voix est forte, claire, confiante. Je me demande si les programmeurs ont synthétisé la voix de Lemieux ou s'il s'est prêté au jeu et a enregistré ses répliques. Même son avatar dégage un charisme fou. Qu'est-ce que ça doit être en vrai ?

– Nous vous avons réunis pour cette mission cruciale car vous êtes les meilleurs. J'ai entendu parler de certains d'entre vous, dit-il en nous toisant tous. J'ai même combattu aux côtés de l'un d'entre vous.

– Je le savais ! ! ! s'exclame Elliot.

– Du calme, soldat. Ce n'était que dix secondes.

Vient-il de répondre à Elliot ? Comment fait-il ? À moins que...

Avec mon casque d'écoute, j'entends rarement les réactions des spectateurs, mais je sens la commotion dans La Grotte. Ils en sont venus à la même conclusion que moi. Ce n'est pas un enregistrement. C'est le vrai Kilpatrick, l'avatar de Patrick Lemieux, qui est avec nous ! Et à l'autre bout de la connexion, Patrick Lemieux se tient derrière un clavier et s'adresse à nous.

– Pour des raisons de sécurité, je ne pouvais être à bord avec vous. Je vous transmets vos ordres de mission depuis un lieu tenu secret. Notre monde est en guerre contre lui-même depuis longtemps. Trop longtemps. Voilà des années que des frères, des sœurs, des amis s'affrontent sans relâche. Et pour quoi ? Une parcelle de terrain écorchée par les bombes, une maison en ruine, une position stratégique qui sera attaquée tôt ou tard… L'honneur ?

– Moi, je veux une place dans le *top* cent ! lance Zach.

Le général Kilpatrick se retourne vers lui. Même semi-transparent, son regard pèse lourd.

– Dans vos rêves, monsieur Gallant, répond l'hologramme. Maintenant, vous la bouclez avant que j'ouvre cette porte-cargo et que je vous balance dans le vide sans parachute.

– Vous ne le feriez pas ! Vous ne pourriez pas, vous êtes un hologramme, dit Zach, déstabilisé.

– Vous voulez parier ? lui lance Kilpatrick en défi.

Ne souhaitant pas voir si un hologramme peut s'en prendre à son avatar, Zach se la boucle. Je n'ai aucun doute que Kilpatrick serait en mesure de mettre ses menaces à exécution.

– Écoutez bien ! reprend-il. Cette guerre fratricide se termine maintenant. Un nouvel ennemi a fait son apparition. Depuis quelques semaines, des attaques ont eu lieu partout à travers *Terra I*. Il a envoyé ses éclaireurs, testé nos forces. Peu de mercenaires se sont tirés indemnes de leur rencontre. Une seule d'entre vous a croisé le fer avec cet ennemi et lui a survécu…

Mes trois amis se retournent vers moi, bouche bée. Face à nous, William et Zach me fixent eux aussi. La nouvelle les surprend. Il n'y a que Sarah-Jade qui reste de glace.

– Nos satellites ont détecté un vaisseau en approche. Par sa trajectoire, nous croyons qu'il se dirige ici.

Une carte holographique apparaît à ses côtés, lui permettant d'indiquer la zone en question.

– Votre objectif de mission est de sécuriser le périmètre et d'éliminer la menace ennemie. Chaque capitaine disposera de douze soldats pour venir en aide à son équipe. Essayez de ne pas tous les tuer. Stargrrrl pourra vous dire de quoi il en retourne.

– Oui, mon général !

– Bonne chance, tout le monde !

Aussi soudainement qu'il est apparu, l'hologramme de Kilpatrick s'estompe.

La séquence vidéo se termine. Chacun des joueurs reprend le contrôle de son avatar.

– Attention ! nous avertit le pilote du jet. Il va y avoir de la turbulence. Nous subissons des tirs antiaériens.

Avant que nous ne touchions le sol, la porte-cargo s'ouvre. Lorsque le jet pose ses roues au sol, le sergent-chef appuie sur un bouton. Automatiquement, les sangles qui nous tenaient en place se détachent.

Par la porte-cargo, nous voyons l'un des deux jets se faire descendre en plein vol par les tirs de la DCA, emportant avec lui sa douzaine de soldats dans l'explosion.

Super.

Nous débarquons de l'avion, qui redécolle immédiatement. Les douze soldats encore vivants attendent leurs ordres. LOCUTUS2366 se plante devant Stargrrrl.

– Qu'est-ce qu'on va affronter ?

– Des robots.

– Des robots-extraterrestres ? Des robots-drones-contrôlés-par-des-cerveaux-géants ? Des robots-à-la-*Terminator* ? cherche à préciser Elliot.

– Des robots-robots. Je n'en sais pas vraiment plus.

Ce n'est pas la vérité, mais je n'ai pas envie de révéler ici que j'ai conservé la tête d'un des androïdes que Sam2dePique et Stargrrrl ont croisé. Trop de gens regardent ce tournoi. À l'aide de notre jet, après le tournoi, Sam et moi irons chercher les avatars de la gang, peu importe où ils se trouvent, et nous leur présenterons notre base ainsi que cette pièce unique.

Aussi, ce n'est pas comme si j'avais envie d'offrir de l'information à mes ennemis. S'ils me posent des questions, je vais répondre honnêtement. Sinon...

– Bon, comme ton avion a explosé, je prends les hommes avec moi. Tu t'arranges de ton bord, me lance William.

– Comment ça « mon avion » ? De toute façon, le mieux, c'est qu'on reste tout le monde ensemble. On aura de meilleures chances de survivre, crois-moi.

– Je vais tenter ma chance, me répond-il.

– C'est ton choix. Mais on sépare les soldats moitié-moitié.

Tout ce temps, Stargrrrl avait son MP5K bien en main, tandis que mon doigt, lui, reposait sur le bouton de ma souris, prêt à cliquer au premier signe d'un coup fourré. Je suis rassurée de voir que mes camarades se tiennent aussi sur leurs gardes.

Je ne fais pas confiance à William. Pas du tout, pas une miette.

– Comme tu veux, dit-il comme s'il me faisait une faveur. Allez, venez !

L'avatar de Sarah-Jade traîne. Avant qu'il n'emboîte le pas de la troupe, il me lance un regard torve.

C'est la fatigue, que je me raisonne. Je m'imagine des choses.

– OK, nous aussi, on bouge, que je dis dès que la troupe des Wizi s'est assez éloignée. Je n'ai pas envie qu'ils nous tendent une embuscade. De plus, *ils* savent que nous sommes ici.

– William ne t'a même pas demandé de détails sur les robots, remarque Charlotte.

– Son erreur. Il n'avait qu'à ne pas être aussi arrogant. Sam et moi, on a croisé deux modèles. Le premier est un androïde. Léger, rapide, c'est leur infanterie. Leurs armes ressemblent aux nôtres, sauf pour le canon à plasma, qui a plein de petites diodes bleues.

Je leur décris aussi l'autre robot, celui qui a des airs de ED-209, et les armes dont il est sûrement équipé. Je leur parle aussi de leur armure, qui semble résistante aux balles. Ce sont donc leurs joints qu'il nous faut viser.

La carte nous mène en zone occupée, où nous rencontrons rapidement de petits groupes de robots. Parfois, ce ne sont que deux androïdes qui patrouillent, parfois, ils sont une demi-douzaine.

Charlotte, Elliot et Margot respectent à la lettre les ordres que je leur transmets. Je leur ai aussi assigné deux soldats à chacun qui pourront les assister dans leurs tâches. Quant à moi, je couvre leurs arrières. Une fois, je peux même *sniper* deux androïdes au loin avant qu'ils ne nous repèrent.

Nous traquons, chassons et éliminons les groupes d'androïdes qui se trouvent dans le périmètre que nous a confié le général Kilpatrick, sans perdre un seul homme.

Ça se gâte lorsqu'un peloton de douze androïdes se pointe devant nous. Deux de nos soldats se font faucher dans la première volée, un troisième, dans l'éclair magnétique d'un canon à plasma. Le reste du groupe court se mettre à couvert.

Ces androïdes sont menaçants. Seuls, ils sont dangereux, en groupe, ils sont redoutables. Il y a une semaine, j'aurais opté pour la fuite. Battre en retraite aurait été notre seule et unique option. Aujourd'hui, mes amis et moi répliquons avec une précision chirurgicale. La moitié des androïdes tombent sous nos balles.

Le canon à plasma est une arme formidable, mais il nécessite une période de recharge entre chaque tir. Malheureusement pour nous, nous n'avons pas assez eu de jugeote pour viser l'androïde armé du canon au début de l'échauffourée. Je le vois qui vise l'avatar d'Elliot.

Stargrrrl se précipite et plaque Mhoryn hors de la trajectoire de l'éclair. Par chance, ni lui ni Stargrrrl ne sont touchés.

ShanYiLi, Togram et leurs trois soldats s'occupent de descendre l'androïde.

Alors que je me dis que nous avons maintenant une chance de récupérer un exemplaire du canon à plasma, des résonnements sourds se font entendre. La terre vibre sous les pas. Plus loin sur la route, ce ne sont pas un, mais bien trois Ed qui viennent en renfort.

À ce stade-ci, la retraite me paraît être une excellente option. Et tant pis pour le canon !

En fuyant vers la ville, nous échappons aux robots (et réussissons à ne pas nous perdre en cours de route). Nous combattons encore un peu, pansons nos plaies, installons des pièges que nous entendons faire exploser plus tard. Encouragés par nos succès, nous nous risquons à de plus grosses cibles, isolant un Ed de son groupe pour lui tendre une embuscade – il explose dans un véritable feu d'artifice !

Lentement mais sûrement, nous nettoyons la zone, tel que le général Kilpatrick nous l'a ordonné.

La Guilde des *noobs* n'a jamais été aussi efficace que maintenant ! Je l'ai déjà dit, j'espère pouvoir le dire encore dans le futur : c'est aussi facile que de jouer avec Sam.

Après une heure de jeu, la dynamique change. Nous ne sommes plus en territoire robot, ce sont eux qui sont chez nous. Ils le savent. Ça se reflète dans leur stratégie, car au lieu de nous traquer, les quelques robots restants battent en retraite. Peut-être regroupent-ils leurs forces ? Ils espèrent peut-être fuir sur leur vaisseau mère.

En parlant du loup, les robots en déroute nous mènent droit à leur vaisseau. Par la forme qu'il a – une allure de poisson-coffre –, j'en déduis que c'est un vaisseau de transport. Il doit faire cinq ou six fois la taille de *Thorondor*. Et je devine qu'il reste amplement de renforts à l'intérieur.

– C'est quoi, le plan ? me demande Elliot.

Peut-être que si William n'était pas aussi con, que si Sarah-Jade ne jouait pas avec eux et que s'ils étaient restés avec nous, nous aurions une chance de nous en prendre au transport. Mais nos ressources sont limitées, nous sommes en infériorité comme ce n'est pas possible et je commence à manquer d'idées.

– Je sais pas trop... Avez-vous des idées ?

– Frappe aérienne, propose-t-il aussitôt.

– As-tu vu un bonus sur le chemin ? que je lui demande.

Il me fait signe que non.

– On fait diversion. On les attire en ville, et ensuite, on revient pour le vaisseau, dit Margot.

– Autre chose ?

Avant que Charlotte puisse proposer une alternative, des robots devant nous se regroupent et s'assemblent. Côte à côte, deux Ed se déplient à la verticale, un troisième embarque sur eux. Ce sont les jambes et le corps. Puis cinq androïdes viennent les rejoindre, deux pour chacun des bras, et le dernier s'imbriquant au sommet, donnant l'illusion d'une tête. Ensemble, ils forment un super robot.

Elliot couine dans son micro, tandis que Margot s'exclame :

– Un *mecha* !

Oui. Un *mecha*. Un super-robot-extraterrestre-formé-de-robots-à-la-*Terminator*-et-probablement-contrôlé-par-des-cerveaux-géants. On est foutus.

Au même moment, Sarah-Jade, William et Zach arrivent dans le secteur, pourchassés par plus d'une vingtaine d'androïdes. Sarah-Jade est armée d'un canon à plasma.

Frak ! Comment ont-ils réussi à en récupérer un ?

– Ces machins sont indestructibles ! me dit Zach. Une chance que Sarah-Jade a trouvé un de leurs canons à plasma, parce qu'on se serait fait éliminer depuis longtemps.

Elle a trouvé un canon ? Urgh ! C'est pas juste !

Bon, maintenant qu'ils sont là, nous allons avoir besoin d'eux. Aussi bien les exploiter. Dès qu'ils sont assez près, je leur expose mon plan :

– Visez les jambes du *mecha*. On va tenter de le faire basculer.

Ce combat est totalement inégal !

En quelques secondes, nous perdons nos trois derniers NPC. Aucun de ceux des Wizi n'a survécu à leur expédition, pas plus que l'avatar de Ludovic. Nous parvenons à abattre l'Ed qui sert de jambe droite, mais aussitôt, le robot endommagé est remplacé par un modèle intact.

Au lieu de viser le cœur du *mecha*, Sarah-Jade vise un androïde. Bien évidemment, celui-ci grille, mais l'éclair aurait été beaucoup plus profitable sur son grand frère. Et là, nous devons attendre que le canon se recharge.

– Au prochain coup, vise le *mecha* ! que je lui ordonne.

– Le qui ? répond-elle.

– Le gros robot juste là !

Les balles sifflent de part et d'autre. Togram se fait toucher. Elle est encore en vie, mais plutôt mal en point. Je lui ordonne de rester en arrière.

LOCUTUS2366 et VakusVakus tentent une sortie à la Elliot. William et Zach crient comme des enragés dans leur micro tout en tirant sur le monstre mécanique. Les dieux des jeux vidéo ne les protègent pas comme ils protègent Elliot. La riposte ne prend que quelques secondes. Le *mecha* dévoile un arsenal de missiles, qui frappe nos deux ennemis-barre oblique-alliés et les pulvérise.

Celle-là, je ne crois pas que nous allons la gagner. Les androïdes, que nous parvenons de peine et de misère à repousser, vont bientôt nous réduire à néant.

Derrière moi, j'entends un sifflement annonçant que le canon est prêt à tirer. Même si le *mecha* tombe, les androïdes-contrôlés-par-des-cerveaux-extrater-restres sont trop nombreux.

Contrôlés ! C'est ça, oui !

– Sarah-Jade, vise le vaisseau !

– Tu m'as dit de viser Baymax, ici.

– Et là, je te dis de viser le vaisseau. C'est notre seule chance ! Tire, Sarah-Jade, tire !

Elle pousse un soupir. Pendant un instant, j'envisage de la descendre avant qu'elle ne me trahisse. Tôt ou tard, elle va me tirer dans le dos.

– OK, dit-elle enfin.

Une fois encore, les serveurs jouent avec ma patience. Le rythme de rafraîchissement des images vient de changer dramatiquement. Je vois la scène se dérouler au ralenti.

Un éclair jaillit du canon à plasma tenu par l'avatar de Sarah-Jade. Il passe à deux doigts de frapper le *mecha* – quelques étincelles bleutées sont attirées par sa structure de métal –, mais l'éclair poursuit son chemin. Il flotte au-dessus de la tête des androïdes, franchit l'espace et frappe de plein fouet le vaisseau. Une multitude de flashs et de petits arcs électriques se répandent sur le fuselage, s'estompent, puis disparaissent.

Pendant un instant, le temps s'arrête.

Mhoryn se prépare à lancer une grenade, Togram recharge son fusil et l'avatar de Sarah-Jade se tient aux côtés de Stargrrrl.

Les androïdes ne bougent plus, semblent attendre un ordre. Le *mecha* est tout aussi immobile que ses congénères. Puis, un de ses bras se détache. Les deux androïdes s'écrasent au sol. Lentement, le *mecha* se décompose et s'effondre, imité par les robots que nous n'avons pas réussi à abattre.

Cette fois-ci, j'entends les cris et les applaudissements des spectateurs au travers de mon casque d'écoute.

Charlotte me fait un *high five*. Elliot s'étire sur son siège et la copie.

Soudain, je reconnais un sifflement caractéristique. Il reste un ennemi – une ennemie, pour être plus précise – que j'ai oublié une seconde de trop. Avant que je puisse réagir, une décharge électrique se fait entendre.

Stargrrrl est toujours vivante.

Étrange.

Je me retourne pour découvrir l'avatar de Sarah-Jade étendu par terre. Deux électrodes reliées à des filins lui sont plantées dans le dos. Un peu plus loin, Togram tient un pistolet à impulsion électrique dans sa main.

– Je t'en devais une.

Margot me fait un clin d'œil et active le Taser une seconde fois.

– À elle aussi, je lui en devais une.

– *Qapla'* ! crie Elliot lorsqu'il voit le message enfin apparaître sur nos écrans.

Je le savais bien qu'il parlait klingon.

Chapitre 2-26

– Je vous l'avais dit que j'avais joué avec Kilpatrick ! s'exclame Elliot.

Bien sûr, il ne pouvait pas la laisser passer, celle-là. Je sens qu'on va en entendre parler souvent, plus souvent que la fois où il a vomi sur Noémie.

– Regardez ça ! interrompt Charlotte en nous tendant son cell. Guillaume a mis la bataille finale sur YouTube. On a dépassé les cent mille vues et ça arrête pas !

Tout y est. La séquence d'ouverture, notre *briefing* avec le général Kilpatrick, la bataille avec le *mecha*. Je sais que je vais la regarder encore et encore, mais pas tout de suite. J'ai trop faim ! D'ailleurs, quand est-ce que le serveur va enfin revenir à la table avec nos assiettes ?

Après que Guillaume nous a remis le trophée, papa nous a invités au restaurant, Charlotte, Margot, Elliot et moi (bien sûr), ainsi que toute l'équipe de Sam, pour célébrer notre victoire. Guillaume aussi, mais celui-ci a dit qu'il allait se joindre à nous un peu plus tard.

Nous avons parlé de la journée en long et en large, raconté chacun des meilleurs moments des affrontements deux ou trois fois, de la tricherie de Pierre-Emmanuel à la tentative d'assassinat de

Sarah-Jade, et de Margot qui a sauvé Stargrrrl *in extremis* d'une mort horrible.

De plus, nous avons enfin une idée de ce que contiendra l'extension de *La Ligue des mercenaires*. Des robots extraterrestres ! Que demander de plus ? KPS va sûrement faire son annonce demain. Ils ne peuvent pas rester silencieux ce coup-ci, pas après un tournoi où le général Kilpatrick lui-même nous a *briefés* et où nous avons affronté des robots... et un *mecha* !

Papa est assis en face de moi. Il vient de se trouver un nouveau public et étale ses meilleures blagues scientifiques. Tout son répertoire va y passer ! Elliot rit à gorge déployée, l'encourageant à poursuivre.

Une cloche tinte sur le cell de Charlotte.

– Il y a un journaliste qui veut faire une entrevue avec nous ! annonce-t-elle après avoir consulté le message. Qu'est-ce que je lui réponds ? Qu'est-ce que je lui réponds ?

Mon père se lève de table. Comme mes amis sont occupés à composer une réponse qui se tient, je décide que c'est le moment idéal pour le prendre à part et jaser une minute avec lui.

– Je voulais te dire que j'étais super contente que tu aies pu être présent au tournoi.

Il faut toujours commencer par quelque chose de positif. J'ai vu ça sur internet.

– Tu veux rire ? Je n'aurais raté ça pour rien au monde ! Je suis si fier de toi.

– Je... Merci...

– Est-ce que tu voulais me dire quelque chose ? me demande-t-il, décelant une hésitation chez moi.

– Oui. Hum... Il y a tant de choses qui sont survenues depuis le déménagement, à l'école, avec Sam, avec toi...

– Avec moi ?

– J'ai réalisé... Ben, on m'a fait comprendre que je gardais peut-être un peu trop de secrets pour moi. Et mes amis ont raison. Je ne sais pas pourquoi. Je me disais que c'était pour les protéger, quand en fait c'était pour me protéger, moi. Mais... heu... je me disais que ce serait bon aussi entre nous qu'il n'y ait pas de secrets.

– OK... Je ne suis pas certain de comprendre, Laurie. As-tu des secrets à me révéler ?

– Non. Je veux dire, toi. Si *toi*, tu avais des secrets que tu me cachais... T'es pas obligé d'en avoir.

– De quoi est-ce que tu parles ?

Il y a un énorme point d'interrogation écrit à l'encre invisible dans le visage de mon père. Non, décidément, il ne comprend pas. Il va falloir que je lui mette les mots dans la bouche.

– Tu te souviens, il y a trois semaines, quand je suis revenue de chez Sam et qu'on s'est fait une soirée cinéma-sushis ?

– Oui. Je me souviens que ça s'est terminé de façon plutôt abrupte.

– Tu ne t'es pas demandé pourquoi j'étais en colère ?

Papa décoche un regard à la table et baisse le ton pour être certain qu'il n'y ait que moi qui l'entende :

– Je pensais que tu avais embrassé Sam pendant la fin de semaine ou que lui t'avait embrassée, mais que vous n'étiez pas sur la même longueur d'onde. Ce genre d'affaires-là. Je me suis dit que tu ne voulais pas nécessairement en parler avec ton père.

Ce n'est pas pour ça que j'étais en colère contre lui. N'empêche qu'il a quand même raison. Je m'étouffe sous l'exactitude de son analyse.

– Quoi ? Non ! Pantoute. Hum… Tu penses vraiment que Sam et moi… ? Ark !

– Tu sais, Laurie. T'es pas une si bonne menteuse que ça, ajoute-t-il, sourire en coin.

Peut-être que je devrais tenter de ramener cette conversation sur le droit chemin, parce qu'on parle beaucoup trop de moi à mon goût.

– En fait, ton cellulaire traînait sur la table, et tu étais dans la cuisine. Bref, j'ai vu les textos de Valérie. J'avoue. J'ai eu peur. J'avais l'impression que tu trahissais maman. Mais j'ai compris que c'était une des raisons pour lesquelles on avait déménagé. Et je voulais te dire que c'est correct. Et que je suis prête à la rencontrer, je pense. Ben… si tu veux me la présenter.

– À quels textos tu fais référence au juste ?

Bon, là, c'est de l'entêtement. Je peux tout étaler, si c'est ça que ça prend. Ça ne sert à rien de continuer puisqu'il sait tout autant que moi de quoi on parle.

– Elle te disait merci pour la belle soirée et t'envoyait plein de bisous.

– Ah ! fait-il avant de se mettre à rire.

– Pourquoi tu ris ?

– Pour rien. Je ne devrais pas rire. Wow, tu parles d'un malentendu… Rassure-toi, Laurie, il n'y a pas d'autre femme dans ma vie.

Je ne comprends pas. Mon père est beau, il est encore jeune, disons pas très vieux, il est intelligent et drôle (des fois). Pourquoi n'y aurait-il pas d'autre femme ?

– Mais… et Valérie ?

– Val, c'est une amie de très longue date. On s'est connus à l'université. Puis, elle est devenue pilote de ligne et on s'est perdus de vue. Grâce à des amis communs sur Facebook, on s'est retrouvés. Cette fin de semaine là, elle était en ville, ce qui ne lui arrive pas souvent, alors on est allés souper ensemble. On a vécu des situations… similaires. Elle aussi a perdu quelqu'un de proche. D'en discuter ensemble… ça a fait du bien.

Voyant mon regard interrogateur, il ajoute :

– C'est une amie.

– Une « amie » ? que je dis en ajoutant des guillemets avec les doigts.

– Juste une amie.

– Tu ne sors pas avec elle ?

– Non.

– Pourquoi ?

– Je sais pas. Il y a déjà les détails qu'elle est lesbienne et que j'ai un pénis.

Ark ! Je sais que je ne devrais pas rougir, mais c'est plus fort que moi. Il fait exprès. Entendre mon père dire « pénis », c'est pire que de regarder un épisode de *Game of Thrones* avec lui. Il y a trop de scènes qui me rendent inconfortable… simplement parce qu'il est dans la même pièce que moi.

– Ta mère serait d'accord pour que je rencontre d'autres personnes, mais… je ne suis pas encore prêt. Le jour où ça va arriver, je vais te le dire.

Il recule d'un pas, m'observe puis me prend dans ses bras.

– Je t'aime, dit-il.

– Je sais.

– Eille ! Sers-moi pas du Han Solo. C'est un important moment père-fille !

Le téléphone de mon père sonne, interrompant notre moment.

– Tiens ! Salut, Guillaume… On t'attend toujours, nos plats ne sont pas arrivés… Oui, une seconde.

Papa retourne vers la table et m'indique de le suivre. Il met ensuite son téléphone sur le haut-parleur et le dépose au centre de la table.

– OK, vas-y, dit-il.

– Allo ? Est-ce que vous m'entendez bien ? demande Guillaume au bout du fil.

– Oui.

– Patrick Lemieux m'a appelé tantôt…

– *No way !!!* s'exclame Elliot. Je joue avec, il nous donne nos ordres de mission, et là, il t'appelle ?

Elliot n'en revient tout simplement pas. D'être autant en contact avec son idole, c'est comme de vivre un rêve. Je n'ose pas imaginer ce que ce sera si un jour il a la chance de lui serrer la main.

– Chuuttt ! font Margot, Sam et Charlotte.

Le téléphone est silencieux.

– Guillaume ? que je demande, croyant que la communication vient d'être coupée.

– Vous ne dites rien ? répond-il.

– On n'a pas entendu, dit Charlotte en assénant une taloche à Elliot. Peux-tu répéter ?

– Lemieux a suivi la finale. Votre victoire l'a beaucoup impressionné. KPS vous offre une invitation pour les championnats mondiaux de la *Ligue*, qui auront lieu à Séoul.

Séoul. Comme dans Séoul, la capitale de la Corée du Sud.

C'est une blague ? Ce doit être une blague... Ça ne peut pas être sérieux. J'ai dû mal comprendre. Il nous offre une invitation pour le tournoi d'un type qui s'appelle Raoul. Je regarde mes amis pour déterminer s'ils ont été victimes de la même hallucination auditive que moi.

Le serveur arrive avec nos plats.

Quelle vue on doit lui offrir : six personnes autour d'une table qui fixent un téléphone, l'air ahuri.

Et Guillaume qui poursuit :

– Allo ? Allo ! Bon... j'ai encore perdu la communication... Allo ! Laurianne ? Margot ? Êtes-vous là ?

Insérer un jeton pour
continuer la partie...

Remerciements

Sans Julie, l'écriture de ce second tome n'aurait jamais été possible. Sans son soutien, ses encouragements et son amour, jamais je n'en serais venu à bout.

Merci à mes filles, Mathilde et Anaïs, qui m'apportent des bonbons dans le bureau, qui repartent avec mes sacs de *chips* et qui voudraient tellement que j'écrive des histoires à propos de Gris-Neige, notre chatte.

Encore une fois, merci à tous ceux à qui j'ai emprunté le nom et qui après s'être reconnus dans le tome 1 ne m'ont pas envoyé de mise en demeure. Vous me dépannez plus que vous ne pouvez l'imaginer.

Un énorme merci à Marc-André Audet, Shirley de Susini, Nicolas Raymond, Margot « FB » Cittone et à toute l'équipe des Malins pour votre confiance, votre énergie et votre créativité, plus particulièrement à Katherine Mossalim. On a fait de la belle limonade !

Rejoins Gamer
sur Facebook

www.facebook.com/SERIEGAMER